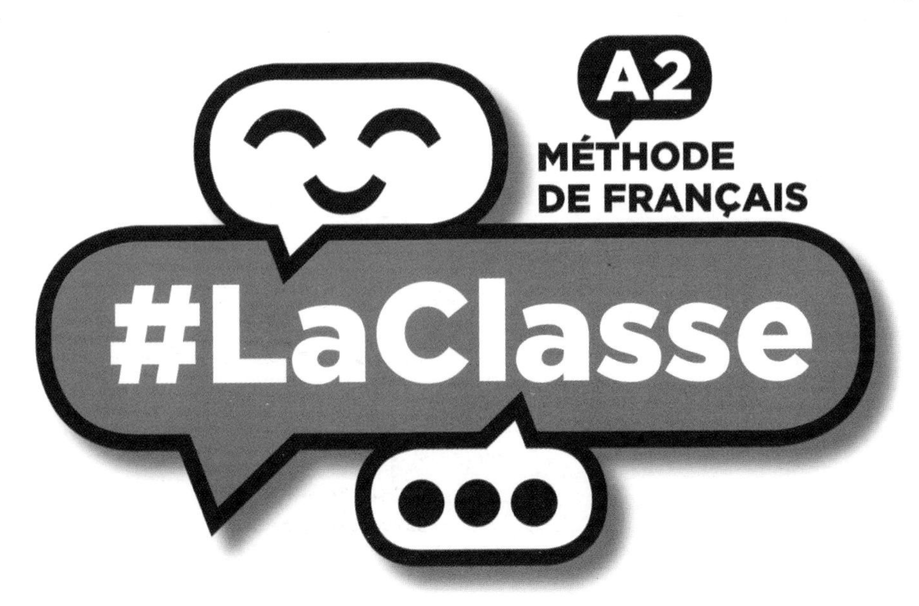

SOPHIE BRUZY TODD
CÉDRIC VIAL

Crédits photos

De gauche à droite et de haut en bas

p. 7 : .shock/Adobe Stock – **p. 8 :** Eric Isselée/Adobe Stock – **p. 9 :** Les films du premier/ UGC/Collection Christophel – **p. 10 :** VILLARD/SIPA ; Verwendung weltweit !/ DPA/Photononstop ; SYSPEO/SIPA ; strichfiguren.de/Adobe Stock – **p. 11 :** trubavink/Adobe Stock ; lucazzitto/Adobe Stock ; kim/Adobe Stock ; Agence DER/Adobe Stock ; Álvaro Germán Vilela/Adobe Stock – **p. 12 :** Romain Huonnic/Adobe Stock ; imtmphoto/Adobe Stock ; Richard Villalon/Adobe Stock ; Marc Julien/Adobe Stock ; Sky Stock/Adobe Stock ; ChenPG/Adobe Stock ; dell/Adobe Stock ; Jolyon/Adobe Stock – **p. 13 :** joseph_hilfiger/Adobe Stock (roue)/Veniamin Kraskov/Adobe Stock – **p. 14** : SIPA ; Création Dicom-Ville de Lille ; **p. 15 :** rkl_foto/Shutterstock ; Chany167/Adobe Stock – **p. 16 :** pst/Adobe Stock – **p. 17 :** lilkin/Adobe Stock – **p. 18 :** vvvita/ Adobe Stock ; HQUALITY/Adobe Stock ; kozorog/Adobe Stock ; cherryandbees/Adobe Stock ; koblizeek/Adobe Stock – **p. 19 :** PIXATERRA/Adobe Stock ; JPC-PROD/ Adobe Stock ; delkro/Adobe Stock ; purplequeue/Adobe Stock ; carlosgardel /Adobe Stock – **p. 21 :** Daddy Cool/Adobe Stock – **p. 20 :** nanomanpro/Adobe Stock ; yamonstro/Adobe Stock ; Michal Ludwiczak/Shutterstock – **p. 22 :** Xavier Richer/Photononstop ; PUNTO STUDIO FOTO AG/Adobe Stock ; Beboy/Adobe Stock ; Antonino Bartuccio/Sime/Photononstop ; BIS/Ph. Frédéric Hanoteau © Archives Nathan – **p. 23 :** anyaberkut/Adobe Stock ; tateyama/Shutterstock – **p. 24 :** Bergfee/ Adobe Stock ; jordieasy/Adobe Stock ; livcool/Adobe Stock ; ZoomTeam/Adobe Stock ; claire/Adobe Stock ; worldwide_stock/Adobe Stock – **p. 25 :** Lucian Milasan/ Adobe Stock ; mtruchon/Adobe Stock ; helenedevun/Adobe Stock ; jsbpics/Adobe Stock ; PackShot/Adobe Stock – **p. 26 :** Maksym Gorpenyuk/Adobe Stock – **p. 27 :** Florence Piot/Adobe Stock ; Souchon Yves/Adobe Stock ; GordonGrand/Adobe Stock – **p. 28 :** MORTAZZA/Adobe Stock – **p. 29 :** zhu difeng/Adobe Stock ; avebreakMediaMicro/Adobe Stock – **p. 30 :** paseven/Adobe Stock – **p. 31 :** Wajan/Adobe Stock ; DR ; Yobab/Adobe Stock – **32 :** Sapsiwai/Adobe Stock ; suradech14/ Adobe Stock (vélo) ; tiero/Adobe Stock (x2)– **p. 33 :** AldanNa/Adobe Stock (fond) ; kamonrat/Adobe Stock ; cedrov/Adobe Stock ; Voxall/Adobe Stock ; bestvector083/ Adobe Stock ; Igarts/Adobe Stock ; teracreonte/Adobe Stock ; leremy/Adobe Stock – **p. 34 :** morningdesign/Adobe Stock ; De grebeshkovmaxim/Shutterstock ; Fred34560/Adobe Stock ; Sebastien DURAND/Shutterstock ; philippe Devanne/Adobe Stock ; Brad Pict/Adobe Stock ; tawanlubfah/Adobe Stock ; Ion barbu/Adobe Stock (fond, sac) – **p. 35 :** highwaystarz/Adobe Stock – **p. 36 :** ittleny/Adobe Stock ; Ruslan Olinchuk/Adobe Stock ; jollier_/Adobe Stock ; FOOD-micro/Adobe Stock – **p. 37 :** victoria p./Adobe Stock ; Tim UR/Adobe Stock (3 x) – **p. 38 :** highwaystarz/Adobe Stock ; ADEME ; Thomas Pajot/Adobe Stock – **p. 39 :** Marie Capitain/Adobe Stock ; RuPhoto/Adobe Stock ; mars58/Adobe Stock – **p. 40 :** Giuseppe Porzani ; Liv Friis-larsen – **p. 41 :** kucherav/Adobe Stock ; akf/Adobe Stock – **p. 42 :** BIS/Ph. Luc Joubert © Archives Larbor ; mbongo/Adobe Stock ; M.studio/Adobe Stock – **p. 43 :** M.studio/Adobe Stock ; denio109/Adobe Stock ; Jérôme Rommé/Adobe Stock ; Fxquadro/Adobe Stock – **p. 44 :** A_Lein/Adobe Stock – **p. 45 :** Uckyo/Adobe Stock ; uwimages/Adobe Stock – **p. 46 :** Anatoly Repin/Adobe Stock ; rdnzl/Adobe Stock ; bestphotostudio/Adobe Stock ; Mariusz Blach/Adobe Stock – **p. 47 :** sai/Adobe Stock/Christian Jung/Adobe Stock – **p. 48 :** BillionPhotos.com /Adobe Stock (fond) ; *au fond de g. à dr.* : msk.nina/Adobe Stock ; Kokhanchikov/Adobe Stock ; Alexander Raths/Adobe Stock ; gavran333/Adobe Stock ; Coprid/Adobe Stock ; djul/ Adobe Stock ; cdecarpentrie/Adobe Stock ; *devant de g. à dr.* : Olga Lyubkin/Adobe Stock ; Brad Pict/Adobe Stock ; Natika/Adobe Stock ; © Brad Pict/Adobe Stock ; bajinda ; Natika/Adobe Stock ; Alexey Achepovsky/Adobe Stock ; ExQuisine/Adobe Stock – **p. 49 :** corepics/Adobe Stock – **p. 50 :** Pavel Losevsky/Adobe Stock ; Maridav/Adobe Stock ; Gennadiy Poznyakov/Adobe Stock ; Mark Herreid/Adobe Stock ; Pavel Losevsky/Adobe Stock – **p. 52 :** luckybusiness/Adobe Stock ; carballo/ Adobe Stock ; Ben Gingell/Adobe Stock ; photophonie/Adobe Stock – **p. 53 :** olly/Adobe Stock ; Martin Meissner/AP/SIPA ; Matthias Enter/Adobe Stock – **p. 54 :** Thomas Leonhardy/Adobe Stock – **p. 55 :** Miceking/Adobe Stock ; Miceking/Adobe Stock ; lenka/Adobe Stock ; booka/Adobe Stock ; dk0501/Adobe Stock ; Maksym Yemelyanov/Adobe Stock ; booka/Adobe Stock ; JERMVUT KITCHAICHANK/Adobe Stock ; Bitter/Adobe Stock ; avniunsal/Adobe Stock ; beguima/Adobe Stock ; abstract/Adobe Stock – **p. 56 :** Andrey Apoev/Adobe Stock ; Hervé de Gueltzl/Photononstop ; cristinafelice/Adobe Stock ; MangAllyPop@ER/Adobe Stock – **p. 57 :** savoieleysse/Adobe Stock ; leremy/Adobe Stock – **p. 58 :** Logostylish/Adobe Stock – **p. 59 :** Belish/Adobe Stock ; karaboux/Adobe Stock – **p. 60 :** DragonImages/ Adobe Stock – **p. 61 :** AldanNa/Adobe Stock (fond) ; C-You/Adobe Stock ; Aaron Amat/Adobe Stock ; cristovao31/Adobe Stock ; scarlett/Adobe Stock ; sharplaninac/ Adobe Stock ; Matteo Gabrieli/Adobe Stock ; Baillou/Adobe Stock – **p. 62 :** innervisionpro/Adobe Stock ; chrisberic/Adobe Stock ; Aleksandar Todorovic/Adobe Stock ; alphaspirit/Adobe Stock ; alphaspirit/Adobe Stock – **p. 63 :** kosoff/Adobe Stock – **p. 64 :** AP/SIPA ; DR ; Shamil Zhumatov/ ; ESA/NASA/Cover/SIPA – **p. 65 :** MOREL/ SIMAX/SIPA – **p. 66 :** peshkova/Adobe Stock ; sebra/Adobe Stock – **p. 67 :** twenty ; cronopio/Adobe Stock ; David Morganti – **p. 68 :** Apart Foto/Adobe Stock ; drubig-photo/Adobe Stock – **p. 69 :** Serice civique ; Philippe Turpin/Photononstop ; Jürgen Fälchle/Adobe Stock – **p. 70 :** galam/Adobe Stock ; Neyriss/Adobe Stock – **p. 71 :** AFP ; vchalup/Adobe Stock ; olly/Adobe Stock – **p. 72 :** jody/Adobe Stock – **p. 73 :** flocu/Adobe Stock – **p. 74 :** triaxyz/Adobe Stock ; antoine/Adobe Stock ; grgroup/Adobe Stock – **p. 75 :** Carlos/Adobe Stock ; ivan kmit/Adobe Stock ; mode_list/Adobe Stock ; Chlorophylle/Adobe Stock ; marog-pixcells/Adobe Stock ; Jan Engel /Adobe Stock – **p. 76 :** ronstik/Adobe Stock(fond) ; Robert Kneschke/Adobe Stock ; Dan/Adobe Stock ; Jackin/Adobe Stock – **p. 77 :** Lisa F. Young/Adobe Stock – **p. 78 :** delmo07/Adobe Stock ; Robert Kneschke/Adobe Stock – **p. 79 :** Kzenon/Adobe Stock ; Syda Productions/Adobe Stock ; rh2010/Adobe Stock ; JPC-PROD/ Adobe Stock – **p. 80 :** putilov_denis/Adobe Stock ; little_airplane/Adobe Stock ; industrieblick/Adobe Stock ; peshkova/Adobe Stock ; Mimi Potter/Adobe Stock – **p. 81 :** c blacksalmon/Adobe Stock ; ontrastwerkstatt/Adobe Stock ; determined/Adobe Stock – **p. 82 :** satura_/Adobe Stock ; Minerva Studio/Adobe Stock – **p. 83 :** Dupuis ; merfin/Adobe Stock – **p. 84 :** spacezerocom /Adobe Stock (fond) ; Viorel Sima/Adobe Stock ; Elnur/Adobe Stock ; goir/Adobe Stock ; fotofabrika/Adobe Stock ; jsco/Adobe Stock ; Drobot Dean/Adobe Stock ; sharplaninac/Adobe Stock – **p. 85 :** yokunen/Adobe Stock ; Andrey Popov/Adobe Stock – **p. 86 :** Dmitry Vereshchagin/Adobe Stock ; Jérôme Rommé/Adobe Stock – **p. 87 :** Christos Georghiou/Adobe Stock ; paketesama/Adobe Stock – **p. 88 :** M.studio Adobe Stock ; Eric Isselée Adobe Stock ; sissoupitch Adobe Stock – **p. 89 :** *(milieu)* : Studio M/Adobe Stock ; Gennadiy Poznyakov/Adobe Stock ; benjaminnolte/Adobe Stock ; *(bas)* : sveta/Adobe Stock ; Elnur/Adobe Stock ; Smalik/Adobe Stock ; sveta/Adobe Stock ; Bits and Splits/Adobe Stock ; gena96/Adobe Stock ; 2dmolier/Adobe Stock ; Discovod/Adobe Stock ; sveta/Adobe Stock – **p. 90 :** MG/Adobe Stock – **p. 92 :** Silvano Rebai/Adobe Stock ; JackF/Adobe Stock ; dpvue studio/Adobe Stock ; Monkey Business/Adobe Stock ; icholakov/Adobe Stock ; bernardbodo/Adobe Stock – **p. 93 :** crisod/Adobe Stock – **p. 94 :** bajinda/Adobe Stock ; photlook/Adobe Stock ; Andris T/Adobe Stock ; esoxx/Adobe Stock ; tpzijl/Adobe Stock ; Pixel Embargo/Adobe Stock ; Jiri Hera/Adobe Stock – **p. 95 :** SOLLUB/Adobe Stock – **p. 96 :** Phil81/ Adobe Stock – **p. 97 :** goodluz/Adobe Stock ; aleciccotelli/Adobe Stock ; Jakub Jirsák/Adobe Stock ; Rob/Adobe Stock – **p. 98 :** sges/Adobe Stock ; Szasz-Fabian Jozsef/Adobe Stock (2 X) – **p. 101 :** ExQuisine/Adobe Stock – **p. 102** : sergey88kz/Adobe Stock ; delmonte1977/Adobe Stock

Vidéo 2 : © Shutterstock ; Xavier Richer/Photononstop (Philarmonie) ; Antonino Bartuccio/Sime/Photononstop (Fondation Louis Vuitton) – Vidéo 3 : © Shutterstock – **Vidéos 4 et 5 :** © Gaspar Prévôt – **Vidéo 8 :** *SIPA* : Thomas Pesquet/ESA/NASA/SIPA ; AP/SIPA (Saxophone) ; Shamil Zhumatov/AP/SIPA (retour sur terre) ; ESA/ NASA/Cover ImagesESA/NASA/Cover Images (fleuve Colorado) ; *Photononstop* : Thomas Pesquet/Atlas Photo Archive/NASA/ESA/DPA / Photononstop (Paris la nuit) ; Keine Verwendung in China, Taiwan, Macao und Hongkong/ Thomas Pesquet/DPA / Photononstop (terre vue du ciel) ; Verwendung weltweit/DPA / Photononstop (portrait) ; Atlas Photo Archive/NASA/ESA/DPA / Photononstop (télévision) ; Atlas Photo Archive/NASA/ESA/DPA (avec Oleg Novitskiy) – Vidéo 9 : France TV, Soir 3 – Vidéo 10 : Euro France média

Cartes : Fernando San-Martin

Direction éditoriale : Béatrice Rego
Édition : Sylvie Hano
Maquette : Dagmar Stahringer
Couverture : Miz'enpage
Mise en page : Isabelle Vacher
Enregistrements : Quali'sons
Vidéos : Luenctum – BAZ

ISBN : 978-2-09-038970-8

Achevé en Italie par La Tipografica Varese Srl - Varese
en février 2019 - Dépôt légal : février 2018 - N° de projet : 10253182

Avant-propos

#LaClasse donne à la classe de français au lycée une dimension sociale active conçue pour motiver les adolescents d'aujourd'hui. L'ambition de ***#LaClasse*** est de rendre l'apprenant conscient du rôle du langage et de celui de la communication dans nos sociétés contemporaines. Cette méthode va permettre à l'apprenant d'acquérir l'autonomie nécessaire dans son utilisation du français ainsi que les outils indispensables (savoirs, savoir-faire et savoir-être) dans des contextes et des situations ordinaires ou imprévues de la vie sociale et culturelle française et francophone.

#LaClasse s'appuie sur les exigences du CECRL (Cadre européen commun de référence pour les langues) et se veut une méthode innovante dans sa démarche méthodologique. Les principes forts de la perspective actionnelle et de la médiation sont privilégiés à travers des « tâches » à accomplir dans les multiples contextes auxquels un apprenant est confronté. Les activités choisies mettent en jeu l'interaction et la médiation dans le cadre d'une pédagogie par projets déclinée dans chaque unité.

Les thématiques du niveau A2 concernent l'environnement immédiat des apprenants et leurs activités : la vie en famille, les activités et les loisirs avec les amis, l'actualité et les médias, la scolarité et l'avenir professionnel. Les documents retenus se veulent ludiques, interactifs et résolument actuels, en lien avec les mouvances et tendances sociales et culturelles qui intéressent les jeunes francophones d'aujourd'hui. Dans cette perspective, les outils et les environnements du numérique sont largement exploités dans les tâches et les activités proposées.

Dans chaque unité, les quatre leçons constituent les étapes pour mener à bien le projet. On y retrouve un exemple de finalisation du projet ou de la mission à accomplir, un point culture pour un apport de connaissances sur la société française et la francophonie, des mises en situation présentant des « aléas » multipliant les contraintes et développant ainsi l'autonomie par rapport à la réussite du projet. Les outils de la langue reprennent l'ensemble de la composante linguistique (grammaire, phonétique, lexique) dans une progression en spirale de la grammaire. La page « Faisons le point » offre une activité de synthèse qui permet aux élèves de réinvestir l'ensemble des connaissances et des compétences étudié dans l'unité. Des entraînements au DELF sont proposés pour évaluer le niveau de progression intermédiaire de l'apprenant.

Un **DVD Rom** contient tous les documents audio ainsi que les onze vidéos proposées tout au long de la méthode.

Le livre de l'élève est accompagné d'un **cahier d'activités** facilitant les activités de systématisation et de remédiation. Dans chaque unité, on trouvera également un portfolio et des pages « Apprendre à apprendre » qui proposent des stratégies d'apprentissage.

Le **guide pédagogique** propose aux enseignants, outre les consignes de mise en œuvre des projets et d'évaluation des activités, des pistes de réflexion sur les pratiques pédagogiques et la posture de l'enseignant en tant que médiateur du savoir, personne ressources, véritable interface entre l'élève et le monde qui l'entoure. Le guide propose également à l'enseignant des évaluations supplémentaires sans oublier les corrigés de toutes les activités et les transcriptions du livre de l'élève et du cahier d'activités.

#LaClasse propose un **environnement numérique** complet avec une version numérique individuelle qui permet à l'apprenant de travailler en autonomie et une version numérique pour la classe que l'enseignant pourra utiliser en vidéo-projection.

Nous vous souhaitons un excellent travail avec ***#LaClasse***.

Les auteurs

Tableau des contenus

	Projet Créer et animer un journal en ligne pour la classe	**Objectifs de communication**	**Lexique**
Unité 1 **Bienvenue** pages 7 à 20	**Présentons-nous !**	• Faire le portrait de quelqu'un • Parler de son environnement proche • Parler de sa famille et des animaux domestiques • Présenter une célébrité • Lire un programme • Présenter un évènement	• Le comportement • Les matières scolaires • La famille • Les animaux • Les lieux de la ville • Les goûts, les préférences • Donner une date, un horaire
Unité 2 **Bon voyage** pages 21 à 34	**Réalisons un carnet de voyage**	• Raconter au passé un voyage, une anecdote • Parler de voyages • Faire des rencontres • Demander, indiquer une direction • Situer un lieu • Dire qu'on comprend ou pas • Demander de l'aide	• Se déplacer • Situer • Les paysages • La faune • Les loisirs • Dire qu'on ne comprend pas • Indiquer un chemin
Unité 3 **À table !** pages 35 à 48	**Présentons une recette**	• Comprendre et expliquer une recette de cuisine • Exprimer la quantité • Donner son avis : exprimer le fait d'aimer, d'apprécier, de ne pas aimer et justifier • Exprimer l'obligation, l'interdit • Parler de son alimentation • Donner une instruction	• Les ingrédients • La réalisation d'une recette • La chronologie • La boisson • Parler de ses goûts • Le gaspillage alimentaire • Donner son avis • La quantité
Unité 4 **On sort !** pages 49 à 62	**Réalisons une enquête sur les loisirs**	• Comparer des activités • Interroger quelqu'un sur ses habitudes • Parler de ses loisirs, de ses passions • Proposer une invitation, un rendez-vous ; inviter • Accepter une proposition, une invitation, un rendez-vous • Parler de son emploi du temps	• Les activités de loisirs • Proposer • Indiquer le futur • Exprimer la fréquence • Exprimer la répétition • Exprimer un souhait
Unité 5 **Profession : reporter** pages 63 à 76	**Faisons un reportage**	• Décrire une action, un événement • Décrire une situation • Rapporter les paroles de quelqu'un • Témoigner • Raconter un fait divers au passé	• Une catastrophe naturelle • Les sentiments • Organiser son récit • S'informer (les médias) • Inventer
Unité 6 **C'est mon métier** pages 77 à 90	**Nous présentons notre futur métier**	• Exprimer son intérêt/désintérêt • Exprimer la condition • Exprimer le futur • Exposer une opinion (conseiller, encourager) • Décrire un métier • Décrire un parcours d'apprentissage • Parler de son look (tatouages, piercings)	• Parler de son parcours • Exprimer son intérêt, son désintérêt • Les métiers • Conseiller et encourager • Les compétences professionnelles • Les qualités professionnelles • Parler d'une tenue vestimentaire

Annexes
- Entraînements au DELF A2
- Grammaire
- Conjugaison
- Lexique
- Transcriptions
- Cartes de la France et de la Francophonie

Grammaire	Découvertes culturelles	Phonétique
• Le féminin des adjectifs • L'interrogation • Les pronoms toniques • Les verbes pronominaux • Les adjectifs possessifs • Les articles définis, indéfinis et contractés • Le passé récent • Le pluriel des noms et des adjectifs • Le futur proche	• Des stars francophones et leur famille	• La phrase et l'intonation
• Le passé composé avec « avoir » et « être » • Les prépositions de lieu • Le pronom « y »	• Les pays francophones	• Les sons [e] et [ə]
• la quantité (les articles partitifs) • Les pronoms compléments « le », « la », « les » • Le présent progressif • L'adjectif indéfini « tout » • *Il faut* / *Il ne faut pas* + infinitif • Le pronom « en » • L'impératif négatif • Le complément du nom • « Pourquoi » / « Parce que »	• La lutte contre le gaspillage alimentaire	• Les nasales [ɑ̃], [ɔ̃], [ɛ̃]
• Le futur simple • Les pronoms relatifs « qui », « que », « où » • Les comparatifs • Les superlatifs • La négation	• Les loisirs des jeunes	• Les sons [ʃ] et [ʒ]
• L'imparfait • Les indicateurs de temps • Les pronoms COI • Le discours rapporté • Imparfait ou passé composé	• Les jeunes et l'information	• Les sons [e] et [ɛ]
• Imparfait et passé composé (reprise) • Les verbes « pouvoir », « vouloir », « devoir », « savoir » • Les adverbes • La condition avec « si » • Exprimer le futur avec le présent	• Les métiers d'avenir	• Les sons [f] et [v]

Mode d'emploi

▸ Les pictogrammes

Activité de compréhension orale.
Le numéro correspond à la piste sur le DVD.

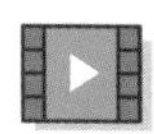

Vidéo

Activité à faire en binôme.

Activité à faire en petit groupe.

▸ L'ouverture

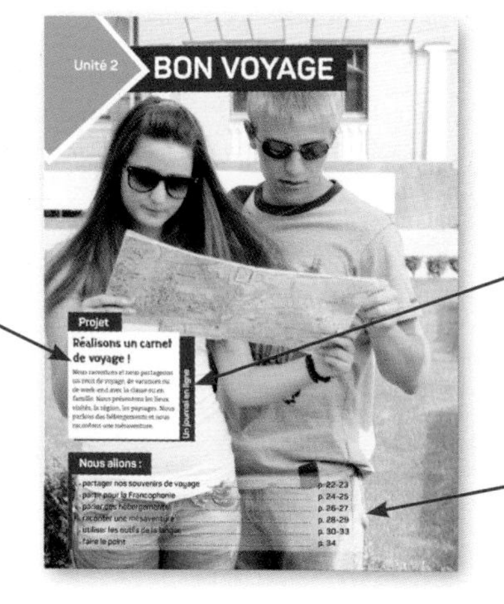

Les différentes étapes du projet sont annoncées.

Rappel du projet global du niveau.

Les objectifs de l'unité.

▸ Les leçons

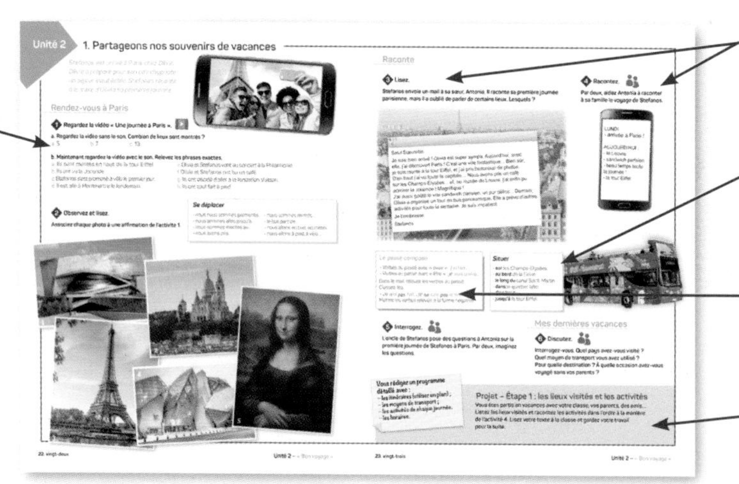

Des vidéos intégrées dans les leçons, et exploitées directement dans les leçons.

Les compétences à mettre en œuvre.

Des encadrés « lexique » thématiques (en jaune).

Des encadrés « grammaire » (en bleu) qui proposent des activités de découverte.

L'étape du projet.

▸ « Utilisons les outils de la langue »

Dans chaque unité, des pages outils dédiées :

- à la grammaire avec un approfondissement et des activités supplémentaires ;
- à la phonétique ;
- au lexique ;
- à un bilan de l'unité.

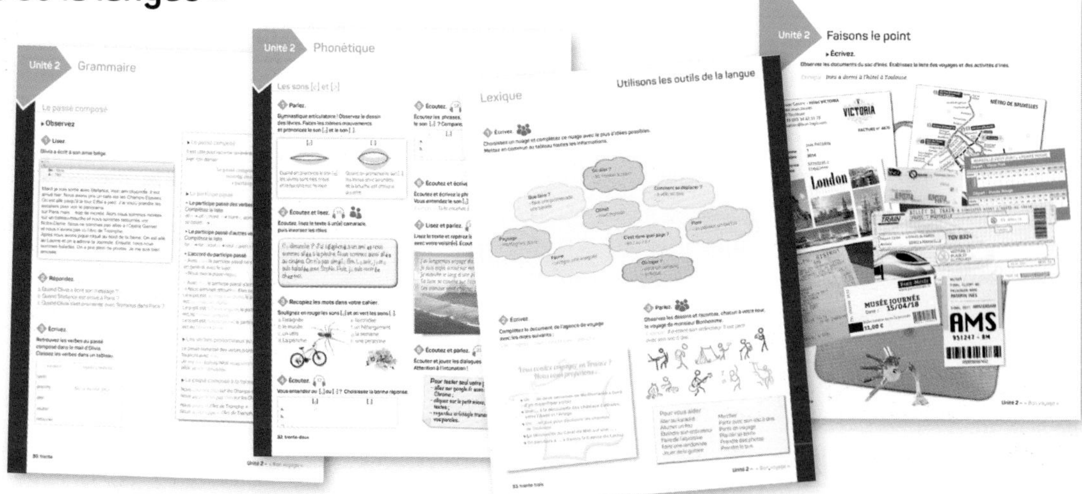

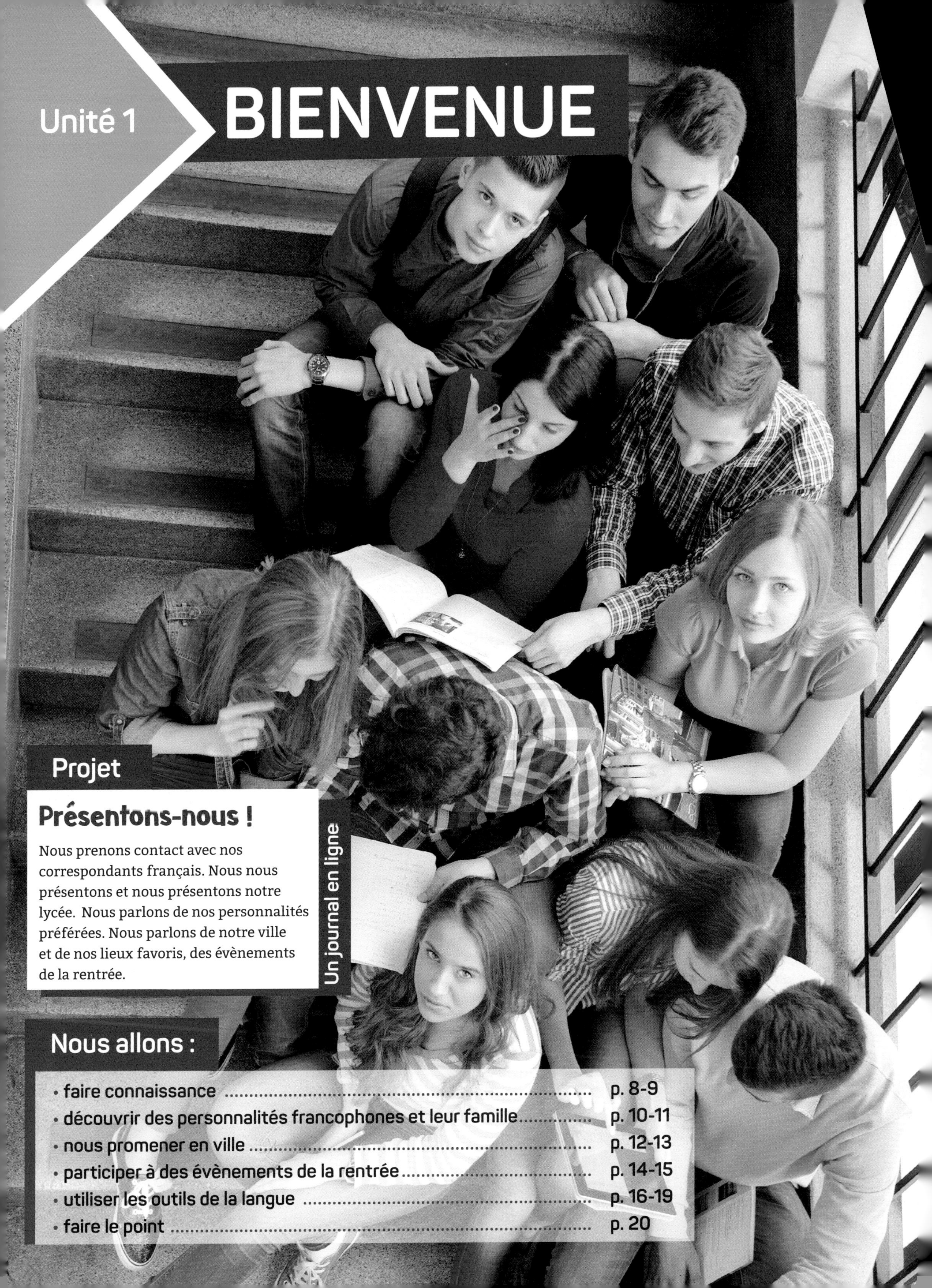

Unité 1

BIENVENUE

Projet

Présentons-nous !

Nous prenons contact avec nos correspondants français. Nous nous présentons et nous présentons notre lycée. Nous parlons de nos personnalités préférées. Nous parlons de notre ville et de nos lieux favoris, des évènements de la rentrée.

Un journal en ligne

Nous allons :

- faire connaissance .... p. 8-9
- découvrir des personnalités francophones et leur famille .... p. 10-11
- nous promener en ville .... p. 12-13
- participer à des évènements de la rentrée .... p. 14-15
- utiliser les outils de la langue .... p. 16-19
- faire le point .... p. 20

1. Faisons connaissance

C'est la rentrée. Découvrons quelques élèves de la classe.

Photo de classe

 **Regardez la vidéo 1 « Portraits ».** 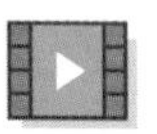

Voici le portrait de quelques élèves.

a. Quels sont les 5 types d'élèves présentés dans la vidéo. Associez les images aux élèves correspondants.
b. Qui parle tout le temps ?
c. Qui est sérieux ?
d. Qui oublie toujours ses affaires ?
e. Qui n'est jamais à l'heure ?

Le comportement

- Être en retard
- Être désolé(e)
- Sérieux/sérieuse
- Concentré(e)
- Bavard(e)
- Une pipelette

Le féminin des adjectifs

Il est intelligent.	*Elle est ...*
Il est sérieux.	*Elle est ...*
Il est ...	*Elle est bavarde.*

Complétez. Comment on forme le féminin des adjectifs réguliers ? Et les autres ?

1

2

3

 **Discutez.** 

Connaissez-vous d'autres types d'élèves ? Faites la liste.
→ *Le/la timide, le/la paresseux/euse...*

 **Écoutez.** 

Léo répond au questionnaire de Proust.
Écoutez ses réponses puis faites son portrait.
Utilisez également les éléments de la vidéo.

 **Interrogez.** 

Maintenant posez les mêmes questions à vos camarades, répondez et échangez. Utilisez des pronoms toniques.

L'interrogation

- *Votre couleur préférée ?*
- *Quel est votre principal défaut ?*
- *Qui est votre héros préféré ?*

Rappelez les différentes manières de poser une question. Faites la liste des pronoms et des adjectifs interrogatifs.

Les pronoms toniques

- *Moi, j'aime l'action.*
- *Toi, tu es sérieux.*

Complétez la liste des pronoms toniques.

Prof de...

5 Observez.

Regardez les photographies du film *Les Profs* et trouvez la matière enseignée par chacun. Aidez-vous de l'encadré « Lexique ».

Les profs, un film de Pierre-Martin Laval (2013).

6 Observez.

Regardez avec attention les photos. Le film se passe-t-il dans un établissement moderne ou ancien ? Qu'est-ce qui vous permet de répondre.

7 Discutez.

Comment est votre lycée ? Ancien ou moderne ? Petit ou grand ? Décrivez les salles, la cour, les différents équipements...

Les matières

- Le français
- L'anglais
- Les mathématiques (les maths)
- Les sciences : la physique, la chimie, les sciences de la vie et de la Terre (SVT)
- Le sport (l'éducation physique et sportive : EPS)
- L'histoire
- La géographie

Projet – Étape 1 : les portraits

Prenez des photos du groupe classe avec votre professeur de français. Vous pouvez aussi présenter d'autres professeurs. Prenez aussi des photos de votre salle de classe, de votre lycée, de la cour... Préparez des commentaires pour chaque photo.

Prenez des photos des professeurs, du personnel du lycée... Mais demandez toujours l'autorisation !

2. Vivons en famille avec les stars

Personnalités francophones

 **Lisez.**

Découvrez les portraits de trois personnalités francophones et répondez.

a. Donnez la nationalité des 3 personnalités présentées.
b. Qui travaille dans le monde du spectacle ?
c. Qui parle de ses enfants ?
d. Quelle est l'importance de la famille pour ces trois personnalités ?

Le travail en famille

Éric Antoine

Nationalité : française
Âge : 41 ans
Profession : magicien, membre du jury de l'émission « La France a un incroyable talent ».
Famille : Cet artiste de 2,07 mètres ne se sépare jamais de sa femme, Calista Sinclair. Calista est sa partenaire sur scène et sa co-auteur. Un des rêves d'Éric Antoine, fonder une famille. C'est chose faite aujourd'hui. Il a deux enfants Raphaël et Ulysse.

Une famille de sportifs

Kylian Mbappé

Nationalité : française
Âge : 19 ans
Profession : footballeur. Il joue désormais à Paris, au Paris Saint-Germain (PSG).
Famille : Kylian Mbappé est d'origine algérienne par sa mère et camerounaise par son père. Il vient d'une famille de sportifs. Sa mère est une ancienne handballeuse professionnelle. Son père est éducateur dans un club de football. Son frère est aussi joueur de football. Kylian adore jouer au foot bien sûr ! Mais il aime aussi passer du temps avec ses parents et son frère. Il ne s'éloigne jamais de sa famille : elle est essentielle à son équilibre.

Ma famille est tout pour moi !

Nawell Madani

Nationalité : belge
Âge : 34 ans
Profession : humoriste
Famille : Belge d'origine algérienne, Nawell grandit dans une famille nombreuse ; elle a quatre frères et sœurs. Sa famille est très importante. Elle raconte « Quand quelqu'un tombe malade, tout de suite toute la famille est là... On est une meute. » Elle ne voit pas sa famille tous les jours, mais sa famille n'est jamais loin. Elle peut compter sur sa famille. Et sa famille peut compter sur Nawell. Ils s'appellent souvent.

Les verbes pronominaux

- *Cet artiste ne se sépare jamais de sa femme.*
- *Ils s'appellent souvent.*

Observez la construction des verbes pronominaux. Que remarquez-vous ?

 **Écrivez.**

Sur le modèle des fiches ci-dessus, faites votre propre fiche.

Les adjectifs possessifs

Complétez le tableau.

MASCULIN	FÉMININ	PLURIEL
mon père	...	*mes parents*
...	...	*tes...*
...	*sa sœur*	...
notre ...	...	...
...	...	*vos enfants*
...	*... famille*	...

La famille

- Le père / La mère
- Les parents
- Le frère / la sœur
- Le fils / La fille
- Les enfants
- Le mari / La femme

Un animal de compagnie original

Écoutez et observez. 

a. À quelles stars appartiennent les animaux en photo ?

b. Écoutez à nouveau l'enregistrement et répondez.

a. Que fait Karl Lagerfeld pour son chat ?
b. Pourquoi Justin Bieber n'a-t-il plus de singe ?
c. Quelle est l'espérance de vie de la tortue de Leonardo Dicaprio ?
d. Avec qui George Clooney partage sa vie pendant 18 ans ?
e. Qu'est-ce que Cara Delevingne crée pour son animal ?

Les animaux

- Un animal de compagnie
- Un chat
- Un chien
- Un lapin
- Un cochon
- Un singe
- Une tortue
- Un reptile

Débattez. 

Que pensez-vous des animaux de compagnie originaux ?

Projet – Étape 2 : une personnalité

Vous écrivez un mail à votre ami(e) français(e). Vous lui présentez une personnalité de votre pays (acteur/actrice, chanteur/euse, écrivain(e), scientifique...) que vous aimez. Vous faites le portrait de la personnalité et expliquez pourquoi vous l'appréciez. Vous parlez aussi de sa famille. N'oubliez pas une photo !

3. Promenons-nous dans ma ville

Mes lieux préférés

 **Écoutez et observez.** 

a. Écoutez Cyprien et dites à quel lieu correspond chaque image ?

1

2

3

4

b. Écoutez à nouveau l'enregistrement et répondez.

a. Où habite Cyprien ? b. Qu'est-ce que Cyprien aime faire ?

Les articles définis, indéfinis et contractés

- *C'est une terrasse avec des sièges.*
- *L'inconvénient de la Pointe Rouge, c'est loin.*

Faites la liste des articles définis et indéfinis. Classez-les.

- *à + le → au ; de + le → du...*

Faites la liste des articles contractés.

La ville

- Un centre
- Un centre ville
- Un centre commercial
- La circulation
- Un port
- Un dock
- Un spot

 **Lisez.**

Les visiteurs des Terrasses du port à Marseille donnent leur avis sur le centre commercial. Lisez les contributions et faites la liste des points positifs et la liste des points négatifs.

LES TERRASSES DU PORT › Suivre cette discussion

225 réponses sur ce sujet ‹‹ 1 2 3 4 5... 21 22 ››

Adèle Aix-en-Provence, France 25 novembre 2017, 13:06	Je viens de découvrir ce lieu et j'adore ! C'est un lieu fantastique. Avec ses ouvertures sur la mer, voilà enfin un centre commercial très lumineux ! Répondre
Sacha Marseille, France 27 novembre 2017, 15:30	Moi, je déteste les centres commerciaux. C'est bruyant. Il y a trop de monde, de boutiques. On ne trouve rien. Je préfère aller en centre-ville. Répondre
Baptiste Marseille, France 28 novembre 2017, 19:50	Je viens souvent. D'abord, je fais du sport dans la salle. Souvent je déjeune ou je prends un verre avec mes amis. Et bien sûr, je fais du shopping ! Mais il n'y a pas de cinéma, c'est dommage. Répondre
Justine Manosque, France 28 novembre 2017, 22:13	Moi, j'aime lire. Et la librairie n'est pas très grande. Et pourquoi il n'y a pas de bibliothèque ? Mais c'est quand même un endroit hyper sympa. Je vous conseille le coucher du soleil depuis la terrasse ! Répondre

 Écrivez.

Participez à un forum Internet. Donnez votre avis sur les centres commerciaux.

Exprimer ses goûts, ses préférences

- J'adore
- Je déteste
- Je préfère
- J'aime
- C'est dommage
- C'est sympa

Ma ville se transforme

 Lisez.

Après Paris, plusieurs villes en France et dans le monde se transforment en été. Partez à la découverte de Toulouse plages et répondez.

a. À qui s'adresse Toulouse plages ?
b. À quoi servent les brumisateurs ?
c. Qu'est-ce qu'on peut faire à Toulouse plages ?

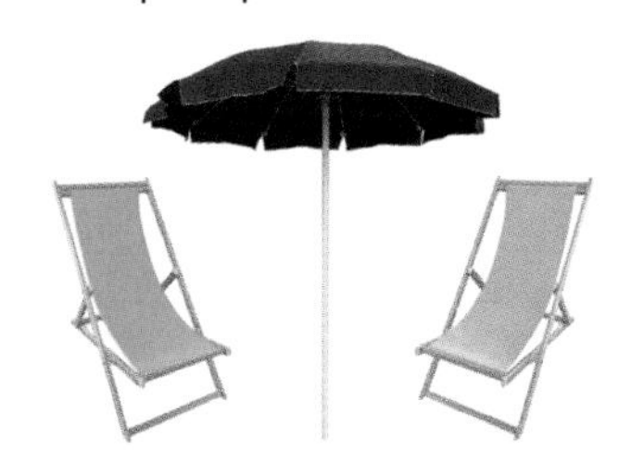

Toulouse plages, c'est parti !

Le départ n'est pas pour tout de suite ? Ou pas de vacances du tout ? Avec Toulouse plages on profite du soleil, du sable, de l'eau et des animations sans bouger de la ville.
Le « spot » de baignade est séduisant : rampe pour personnes à mobilité réduite, ombre, sable et eau à 23° C. Nassima et sa fille Louna, 4 ans, sont là. « On ne part que courant août donc c'est l'occasion d'amener la petite jouer et prendre l'air. Même s'il n'y a que la plage, c'est très sympa ! », explique Nassima. Pour un peu de fraîcheur, il y a aussi les brumisateurs. Ces astucieux dispositifs offrent un vent de fraîcheur accessible à tous.
Toulouse Plages, c'est différents lieux et de nombreux évènements : démonstration de danse country, de boxe, de danse africaine... C'est aussi une bibliothèque pour tous les goûts et surtout pour tous les âges et une incroyable ludothèque avec des jeux de société, des jeux de construction, des jeux de cartes... On peut aussi tout simplement, comme Sam et ses copains, se retrouver en fin de journée dans les transats du jardin floral au pied de la grande roue. Cette année encore, Toulouse Plages est très apprécié des jeunes ; ils sont nombreux.

D'après La Dépêche du Midi, 10/09/2017.

 Écoutez. 

Micro-trottoir à Toulouse plages. Répondez.

a. Que demande le journaliste ?
b. Combien de personnes répondent au journaliste ?
c. Quelle est l'atmosphère à Toulouse plages ?
d. Quelles sont les critiques ?

Le passé récent

- *Je viens d'arriver.*
- *Nous venons de voir la plage.*

Observez la construction du passé récent et complétez la conjugaison.

 Parlez. 

Racontez Toulouse plages à un(e) ami(e) et donnez votre avis sur ce type d'évènement.

Projet – Étape 3 : les lieux de rencontre

Présentez votre ville. Vous situez votre ville puis vous faites la liste de vos lieux favoris. Vous présentez chaque lieu et vous expliquez pourquoi vous l'appréciez. Vous prenez prendre des photos de ces lieux.

4. Participons à des évènements

Je découvre un programme

1 Lisez et observez.

Observez l'affiche, lisez le programme de la braderie de Lille et répondez.
a. Quand et où se déroule l'évènement (date et horaire précis) ?
b. Combien y a-t-il de visiteurs ?
c. Qu'est-ce qu'un « bradeux » ?
d. Quelle est la tradition à la braderie ?

La braderie de Lille

C'est l'évènement incontournable de la rentrée pour faire des affaires dans un cadre magique et festif.

Chaque premier week-end de septembre, le plus grand marché aux puces d'Europe attire près de 2 millions de visiteurs pour deux jours et une nuit de folie ! La Braderie de Lille est certainement l'un des événements les plus connus en France et au-delà des frontières. Plus de 10 000 « bradeux » exposent sur 100 km de trottoirs. Là durant 33 heures non stop (du samedi 14 h au dimanche 23 h), tout s'achète et tout se vend ! Une foule venue du monde entier se presse pour dénicher la perle rare, faire sa récolte de bonnes affaires, mais aussi et surtout pour se plonger dans une ambiance à l'image de la ville : conviviale et festive.
Une autre tradition s'ajoute à celle de la chine* : la dégustation d'un plat de « moules-frites ». Elle donne lieu à un concours entre les restaurants : qui va avoir le plus haut tas de coquilles vides ?

* *acheter des objets d'occasion.*

D'après www.evous.fr, 29/08/2017.

Donner une date, un horaire
- Chaque week-end
- Du samedi au dimanche
- Les 2 et 3 septembre
- De 14 heures à 23 heures
- Durant 33 heures
- Non stop

Le pluriel des noms et des adjectifs

une … → deux petites lampes
un grand tapis → des … …
un … → des journaux intéressants

Observez et complétez le tableau. Rappeler la règle de formation du pluriel des noms et des adjectifs.

2 Écoutez. 

On vend tout et on trouve tout à la braderie de Lille. Faites la liste des objets achetés par les personnes interrogées.

Un évènement de la rentrée

 Écoutez. 

Pour la rentrée, venez assistez à une compétition d'e-sport.

a. Où et quand a lieu la finale européenne de League of Legends ?
b. Combien de spectateurs ont assisté à cette finale ?
c. Qui est Hans Sama ? À qui est-il comparé ?
d. Pourquoi le journaliste écrit-il « C'est un monde à part. » ?

> **Le futur proche**
> - *On va voir nos idoles.*
> - *Tu vas voir Zidane.*
>
> Observez la construction du futur proche et complétez la conjugaison.

 Cherchez. 

Faites une liste des évènements de la rentrée dans votre ville ou votre région. Classez ces évènements par catégories et par ordre de préférence. Expliquez vos choix.

 Écrivez.

Vous envoyez un message à vos amis pour leur proposer d'assister à un évènement proche de chez vous.

Présentons-nous ! 

C'est le début de l'année, vous prenez contact pour la première fois avec vos correspondants français. Vous vous présentez sur le site Internet/blog de la classe.

- Mettez en commun le travail des différentes étapes. La classe doit proposer un projet global destiné à présenter la classe à une autre classe. Vous pouvez ajouter la présentation d'un évènement culturel, sportif... de la rentrée (ou de la fin de l'été).
- Déterminez la forme du projet final : choisissez ce qui doit être écrit, ce qui doit être enregistré, ce qui doit être filmé.
- Sélectionnez pour chaque étape les éléments les plus pertinents. Retravaillez certains éléments si besoin.
- Complétez les illustrations déjà rassemblées avec d'autres documents trouvés dans la presse, sur Internet... N'hésitez pas à faire vous-mêmes des photos ou à dessiner des illustrations.
- Publiez votre présentation sur le site de la classe.

- Évitez les textes trop longs. Préférez plusieurs textes courts.
- Proposer un document vivant et amusant.

Grammaire

Les adjectifs

▸ Observez

 **Lisez.**

 **Répondez.**

a. Comment est Félix ?
b. Qui est curieuse ?
c. Décrivez Maya.
d. Parlez de Simon.

 **Écrivez.**

Retrouvez le masculin ou le féminin des adjectifs.

... → curieuse ; bavard → ... ; sérieux → ... ; ... → timide ; paresseux → ... ; ... → active ; réfléchi → ...

▸ **Le féminin des adjectifs**

• Pour former le féminin des adjectifs réguliers, on ajoute un « e » final.
Il est joli. → Elle est jolie.
Parfois, il faut aussi doubler la consonne finale.

Complétez la liste.
bon → bonne, gentil → gentille, nul → ..., ancien → ..., bas → ...

• Quand l'adjectif au masculin se termine déjà par « e », le féminin ne change pas.
Il est sage. → Elle est sage.

• Il existe beaucoup d'exceptions.
beau → belle ; blanc → blanche ; nouveau → nouvelle ;
long → longue ; curieux → curieuse ; vieux → vieille ; neuf → neuve...

▸ **Le pluriel des adjectifs**

• Pour former le pluriel des adjectifs, on ajoute un « s » final à l'adjectif au singulier (féminin ou masculin).
Il est intelligent. → Ils sont intelligents.
Elle est bavarde. → Elles sont bavardes.

• Il existe beaucoup d'exceptions.
Il est beau. → Ils sont beaux.
Il est original. → Ils sont originaux.
Il est précis. → Ils sont précis.

▸ Appliquez

 **Écrivez**

Mettez les phrases au féminin pluriel.

a. L'élève est intelligent et curieux.
b. Le garçon est grand et beau !
c. C'est un ancien élève.

L'interrogation

▸ Observez

▸ **L'interrogation**

Il y a plusieurs manières de poser une question.

• On peut utiliser l'intonation montante (↗).
C'est votre animal préféré ?

• On peut inverser le sujet et le verbe.
Sont-ils sérieux ?

• On peut utiliser des pronoms interrogatifs (*qui, que, quand, quoi, où, comment, pourquoi*).
Qui est en retard ? *Que fais-tu ?*

• On peut utiliser des adjectifs interrogatifs (*quel, quels, quelle, quelles*).
Quel est votre animal préféré ? *Quelles sont vos qualités ?*

▸ Appliquez

 **Expliquez.**

Dites sur quoi porte l'interrogation ?

qui – que – quand – quoi – où

Exemple : *qui → l'interrogation porte sur la personne.*

 **Écrivez.**

Complétez les phrases avec des mots interrogatifs.

a. ... est situé dans lycée ?
b. ... est ton professeur préféré ?
c. ... sont tes qualités ?
d. ... as-tu cours de sport ?
e. ... s'appelle ta meilleure amie ?

Les verbes pronominaux

▶ Observez

 **Lisez.**

Découvrez la journée de monsieur Bonhomme.

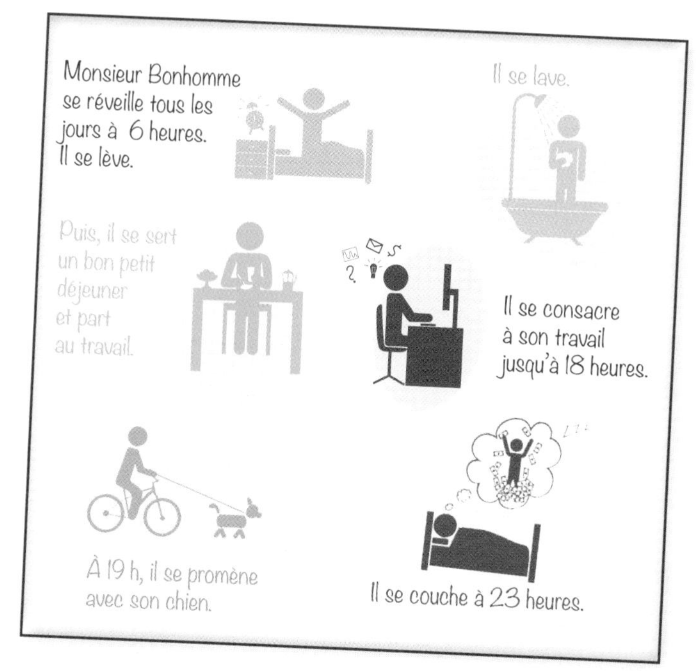

 **Répondez.**

a. Qu'est-ce que fait monsieur Bonhomme le matin ?
b. Qu'est-ce qu'il fait après 18 heures ?
c. Et à 23 heures ?

 **Écrivez.**

Relevez les verbes pronominaux. Donner leur infinitif.
Exemple : *se réveiller...*

> ▶ **Les verbes pronominaux**
> Ils se caractérisent par la présence d'un pronom personnel avant le verbe. Le pronom change avec les personnes.
> *je me lève ; tu te lèves ; il se lève ;*
> *nous nous levons, vous vous levez ; elles se lèvent*

▶ Appliquez

 **Écrivez.**

Conjuguez les verbes au présent et choisissez le bon pronom.
a. Ma sœur et moi, nous (*s'organiser*). Elle, elle (*s'occuper*) des oiseaux, moi, je (*s'occuper*) des chiens. Je (*se promène*) avec eux. Les chats ? Ils (*se reposer*) tout le temps !

Le passé récent

▶ Observez

> ▶ **Le passé récent**
> Il est utilisé pour parler d'une action récente qui s'est produite juste avant le moment où l'on parle.
> Le passé récent se forme avec
> *venir* + *de* au présent + verbe à l'infinitif

▶ Appliquez

 **Conjuguez.**

Conjuguez les verbes au passé récent.
a. Le film est commencé ? Oui, ça (*commercer*).
b. Ta bague est neuve ? Oui, je (*acheter*) ce bijou.
c. Vous n'êtes plus en vacances ? Malheureusement, non ! Nous (*reprendre*) le travail.

Les pronoms toniques

▶ Observez

> ▶ **Les pronoms toniques**
> *moi, toi, lui/elle, nous, vous eux/elles*
> - En début de phrase, le pronom tonique sert à insister.
>   *Moi, je ne suis pas d'accord. – Toi, tu te tais.*
> - On peut l'utiliser seul : *Moi !*
> - On peut l'utiliser après *c'est / ce sont*.
>   *C'est elle ! – Ce sont eux !*
> - On l'utilise aussi après certaines prépositions.
>   *Lisa va **chez** toi. – Paul travaille **avec** lui.*

▶ Appliquez

 **Écrivez.**

Complétez avec le bon pronom tonique.
a. Je connais bien Lucas, je travaille avec ... .
b. C'est l'anniversaire de Marie ; j'ai un cadeau pour ... .
c. Tu vas au cinéma ? Je viens avec ... .
d. ... vous restez là !
e. Ils sont en retard. Nous commençons sans ... .
f. Où est Jean ? Il y a une visite pour ... .

Phonétique

La phrase et l'intonation

Écoutez et observez.

▶ Les types de phrases

• **La phrase affirmative** (ou déclarative) se termine par un point. L'intonation est descendante (↘) en finale.
Nous sommes en retard.

• **La phrase interrogative** se termine par un point d'interrogation. L'intonation est montante (↗) en finale.
Tu es sérieux ?
Est-ce que tu es sérieux ?

Écoutez.

La voix monte ou descend ? Cochez la bonne case.

	Intonation montante ↗	Intonation descendante ↘
a.		X
b.		
...		

Écoutez.

Les phrases sont-elles interrogatives ou déclaratives ? Cochez la bonne case.

	Interrogatives	Déclaratives
a.	X	
b.		
...		

Écoutez et répétez.

Répétez les phrases. Faites attention à l'intonation. Corrigez-vous.

Lisez et écoutez.

Lisez le texte à haute voix puis écoutez l'enregistrement.

Le nouveau chic sur les réseaux sociaux ? Ouvrir un compte Instagram à son animal de compagnie. Les stars adorent et leurs animaux ont beaucoup de followers. Qui sont les animaux stars d'Instagram ? Dans le palmarès, on trouve Lady Gaga et son chien, Miley Cirus et son cochon, Taylor Swift et son chat, Cara Delevingne et son lapin.

Jouez.

Apprenez le dialogue et jouez le dialogue à deux. Attention à l'intonation.

- Salut Martin !
- Ah salut Clara, tu vas bien ?
- Oui, et toi ?
- Bof ! J'ai eu une mauvaise note en français...
- Ah bon ? Tu n'as pas appris ta leçon ?
- Si ! Mais j'ai tout oublié !
- Oh, c'est dommage !
- Ah oui...
- Et qu'est-ce que tu vas faire ?
- Je ne sais pas.
- Ça va, tes parents sont cools !
- Oui, mais ils sont stricts avec les résultats scolaires !

Utilisons les outils de la langue

 **Écrivez.**

Découvrez leur caractère. Complétez avec le bon mot.

a. Arthur parle tout le temps. Il est très ...
b. Mélanie n'est jamais à l'heure. Elle est toujours ... .
c. Baptiste fait toujours ses devoirs. Il écoute le professeur. Il est ... .
d. Anna s'excuse. Elle est toujours ... .

 **Observez**

Associez chaque image à la matière qui correspond. Attention, il n'y a pas une image pour chaque matière.

la géographie – l'espagnol – l'éducation physique et sportive – les mathématiques – le français – les sciences et vie de la terre – la chimie – l'histoire

 **Parlez.** 

Retrouvez de qui il s'agit.

a. Il est le fils de mes parents. C'est mon ...
b. Elle est la femme de mon père. C'est ma ...
c. Nous sommes le fils et la fille de nos parents. Nous sommes leurs ...
d. C'est la sœur de mon fils. C'est ma ... .
e. Papa et maman ? Ce sont nos ... .

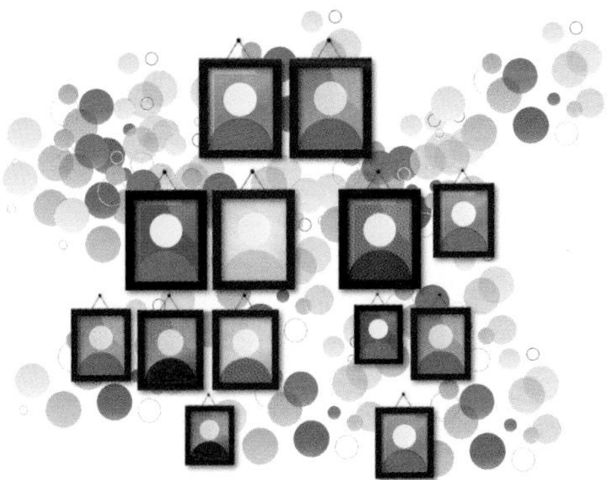

 **Écrivez.**

Albane écrit à sa correspondante. Complétez son mail.

durant 24 heures – chaque week-end – non stop – du lundi au vendredi – de 8 h à 16 h – du 27 au 4 novembre

De : Albane
À : Mélina

Salut,

Je te parle un peu de moi et mon emploi du temps. … je vais au lycée. Je suis au lycée … . … je vois mes amis. La semaine prochaine, c'est la fête de ma ville. Il y a des animations …, la journée et la nuit. C'est … . Je suis impatiente.
Bientôt il y a les vacances de la Toussaint, c'est ... .

À bientôt,

Albane

Unité 1

Faisons le point

Vous créez votre profil sur Facebook en français pour votre correspondant(e) français(e). Vous complétez les différentes rubriques de manière précise. Vous faites des phrases.

Exemple : *J'habite à ...*
Mes amis sont ...

Unité 2

BON VOYAGE

Projet

Réalisons un carnet de voyage !

Un journal en ligne

Nous racontons et nous partageons un récit de voyage, de vacances ou de week-end avec la classe ou en famille. Nous présentons les lieux visités, la région, les paysages. Nous parlons des hébergements et nous racontons une mésaventure.

Nous allons :

- partager nos souvenirs de voyage .... p. 22-23
- partir pour la Francophonie .... p. 24-25
- parler des hébergements .... p. 26-27
- raconter une mésaventure .... p. 28-29
- utiliser les outils de la langue .... p. 30-33
- faire le point .... p. 34

1. Partageons nos souvenirs de vacances

Stefanos est arrivé à Paris chez Olivia. Olivia a préparé pour son ami chypriote un séjour inoubliable. Stefanos raconte à la mère d'Olivia sa première journée.

Rendez-vous à Paris

 **Regardez la vidéo 2 « Une journée à Paris ».** 

a. Regardez la vidéo sans le son. Combien de lieux sont montrés ?

a. 3 b. 6 c. 12

b. Maintenant regardez la vidéo avec le son. Relevez les phrases exactes.

a. Ils sont montés en haut de la tour Eiffel.
b. Ils ont vu la Joconde.
c. Stefanos s'est promené à vélo le premier jour.
d. Il est allé à Montmartre le lendemain.
e. Olivia et Stefanos vont au concert à la Philarmonie.
f. Olivia et Stefanos ont bu un café.
g. Ils ont décidé d'aller à la fondation Vuitton.
h. Ils ont tout fait à pied.

 **Observez et lisez.**

Associez chaque photo à une affirmation de l'activité 1.

Se déplacer

- nous nous sommes promenés...
- nous sommes allés jusqu'à...
- nous sommes montés au...
- nous avons pris...
- nous sommes rentrés...
- le bus part de...
- nous allons en bus, en métro...
- nous allons à pied, à vélo...

Raconte

Lisez.

Stefanos envoie un mail à sa sœur, Antonia. Il raconte sa première journée parisienne, mais il a oublié de parler de certains lieux. Lesquels ?

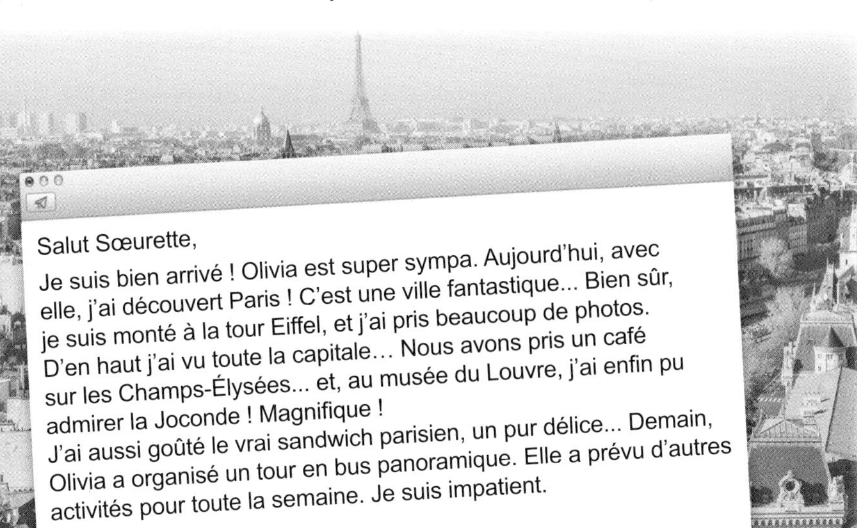

Salut Sœurette,

Je suis bien arrivé ! Olivia est super sympa. Aujourd'hui, avec elle, j'ai découvert Paris ! C'est une ville fantastique... Bien sûr, je suis monté à la tour Eiffel, et j'ai pris beaucoup de photos. D'en haut j'ai vu toute la capitale… Nous avons pris un café sur les Champs-Élysées... et, au musée du Louvre, j'ai enfin pu admirer la Joconde ! Magnifique !

J'ai aussi goûté le vrai sandwich parisien, un pur délice... Demain, Olivia a organisé un tour en bus panoramique. Elle a prévu d'autres activités pour toute la semaine. Je suis impatient.

Je t'embrasse,

Stefanos

Racontez.

Par deux, aidez Antonia à raconter à sa famille le voyage de Stefanos.

LUNDI
- arrivée à Paris !

AUJOURD'HUI :
- le Louvre
- sandwich parisien
- beau temps toute la journée !
- la tour Eiffel

Le passé composé

- Verbes au passé avec « avoir » : *j'ai fait...*
- Verbes au passé avec « être » : *je suis arrivé...*

Dans le mail, relevez les verbes au passé. Classez-les.

- *Je n'ai pas fait..., je ne suis pas arrivé*

Mettez les verbes relevés à la forme négative.

Situer

- **sur** les Champs-Élysées
- **au bord** de la Seine
- **le long du** canal Saint-Martin
- **dans** le quartier latin
- **d'en haut**...
- **jusqu'à** la tour Eiffel

Interrogez.

L'oncle de Stefanos pose des questions à Antonia sur la première journée de Stefanos à Paris. Par deux, imaginez les questions.

Mes dernières vacances

Discutez.

Interrogez-vous. Quel pays avez-vous visité ? Quel moyen de transport vous avez utilisé ? Pour quelle destination ? À quelle occasion avez-vous voyagé sans vos parents ?

Vous rédigez un programme détaillé avec :
- les itinéraires (utilisez un plan) ;
- les moyens de transport ;
- les activités de chaque journée.
- les horaires.

Projet – Étape 1 : les lieux visités et les activités

Vous êtes partis en vacances avec votre classe, vos parents, des amis... Listez les lieux visités et racontez les activités dans l'ordre à la manière de l'activité 4. Lisez votre texte à la classe et gardez votre travail pour la suite.

2. Partons pour la Francophonie

Le français est la deuxième langue apprise dans le monde après l'anglais. Dans de nombreux pays, une partie de la population est francophone. Des destinations francophones pour des vacances sans barrière de langue !

Destination francophonie

 **Regardez et lisez.** 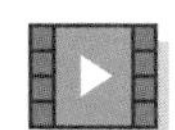 Divya book Mrs. Johnson

Regardez la vidéo 3 « Vacances francophones » et lisez le document. Quelle destination préférez-vous ? Expliquez pourquoi.

1. La langue officielle est le malgache mais 20 % de la population parle le français. Plages, savanes, baobabs et lémuriens attirent les touristes à Madagascar.

2. Sur l'Île Maurice, le français et l'anglais sont obligatoires à l'école. L'île possède des plages magnifiques et des sites rares tels que la Terre des Sept Couleurs.

3. On ne parle pas français seulement au Québec ! Dans la capitale canadienne, Ottawa, la langue de Molière est pratiquée par 32 % de la population. La métropole abrite la plus grande patinoire au monde.

4. 40 % de la population de cet archipel du Pacifique parle français. Les eaux turquoise, les plages volcaniques et les poissons multicolores du Vanuatu séduisent les touristes et les amateurs de plongée !

5. Le français se perd petit à petit dans ce pays autrefois sous le contrôle de la France. Jungles, montagnes, rizières et temples font le charme du Laos.

Vive la Martinique

 **Écoutez.** 

Elena se présente. Répondez.

a. Quels sont les pays cités ?
b. Dans quel pays habite Elena aujourd'hui ?
c. Dans quels pays a-t-elle habité ?

Les prépositions de lieu

- *J'habite **à** Fort-de-France **en** Martinique.*
- *Elle vient **d'**Espagne, **de** Séville.*

Rappelez les règles d'emploi des prépositions de lieu pour les noms de villes et de pays après les verbes *habiter* et *venir*.

 **Lisez.**

Elena invite ses amis en Martinique. Elle prépare une documentation. Complétez le tableau à l'aide du document ci-contre.

VILLE	Fort-de-France	LIEUX D'INTÉRÊT	...
RÉGION	Martinique	FAUNE	...
CLIMAT	...	PAYSAGE	Montagnes

Fort-de-France

Capitale de la Martinique

Fort-de-France, Fodfrans en créole, est une commune française située dans la collectivité territoriale de Martinique. Ses habitants sont appelés les Foyalais. Wikipédia

Superficie : 44,21 km²
Météo : température moyenne 24 °C, 77 % d'humidité.
Climat tropical humide.

Faune : en danger à cause de la déforestation ; oiseaux, araignées, poissons
Flore : importante biodiversité ; orchidées, arbre du voyageur, ananas…
Paysage : montagne, volcan, savane, plage, forêt, mangrove

Lieux d'intérêt

Jardin de Balata

Cathédrale Saint-Louis

Bibliothèque Schœlcher

Autour du monde

 **Parlez.** 

Chaque groupe choisit une destination et prépare une présentation puis présente sa destination à toute la classe.

Les paysages

- Une montagne
- Une forêt
- Un volcan
- La savane
- Une île
- Une plage
- La jungle
- Une rizière
- Une mangrove

La faune

- Un oiseau
- Une araignée
- Un serpent
- Un lémurien
- Un poisson

Projet – Étape 2 : la destination, la géographie

Vous décrivez le lieu du séjour du voyage choisi à l'étape 1 du projet. Indiquez sa situation géographique, son climat, son paysage, sa faune, sa flore… Présentez votre travail sous forme de tableau comme dans l'activité 3. Conservez votre travail pour la suite.

Conseils !
- N'oubliez pas :
  - de situer la destination ;
  - de parler du climat ;
  - de la faune, de la flore.
- Vous pouvez utiliser Internet pour chercher des idées et des images.

3. Parlons des hébergements

Où dormir en vacances ?

 Écoutez. 

Écoutez l'interview du directeur d'une auberge de jeunesse et l'interview de la gérante d'un camping.
Quels sont les avantages et les inconvénients de chaque hébergement ?

 Lisez et écrivez.

Lucia prépare la fiche de description du camping du Vieux Port, mais elle n'a pas terminé. Complétez sa fiche.

★★★★★ **Le Vieux Port**

Le camping 5 étoiles *Le Vieux Port* est installé dans un site exceptionnel, en Aquitaine, entre forêt de pins et plage, à 3 minutes du village de Messanges et à 45 km seulement de la ville de Bayonne. On y accède facilement par la route ou en train.

★ Un camping au cœur de la nature
Un des plus beaux campings de France dans un environnement naturel et préservé. Vous y trouvez de **superbes emplacements pour tentes et/ou caravanes et des locations tout confort**.

★ Des espaces aquatiques immenses
Le grand **parc aquatique à thème** possède deux bassins extérieurs, une piscine couverte et chauffée. L'eau y est en permanence à 28°. Le parc offre également un lagon à vagues, des pataugeoires et des toboggans pour les adultes et pour les enfants.

★ Des activités de loisirs et des animations
Le camping dispose d'un boulodrome, d'un skate-park et de plusieurs tables de ping-pong.
Pour les petits et les grands : des activités sportives et des soirées festives.

★ La gastronomie landaise
Pour les gourmands, plusieurs restaurants. On y déguste des spécialités de la cuisine locale, en famille ou entre amis.

Le pronom « y »

Y remplace un lieu.
• *Vous y découvrirez des spécialités*
Que remplace le pronom ***y*** ?
Relevez les autres occurrences du pronom ***y*** dans le document.

Les loisirs

- La plage
- Un parc aquatique
- Une piscine
- Un toboggan
- Un skate-park
- Un boulodrome
- Le ping-pong
- Un restaurant

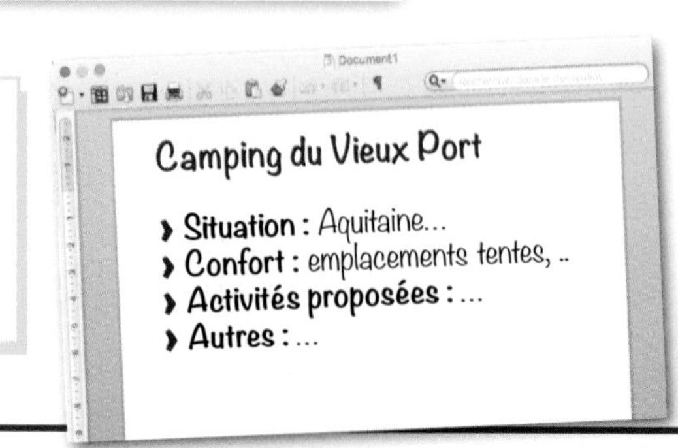

Regardez et écoutez. 

Le père de Marco a sélectionné deux hébergements sur Internet. Il demande à la famille son avis.

a. Quel hébergement a choisi la famille ?

b. Quels sont les points positifs et négatifs des deux hébergements ?

c. Et vous, quel type d'hébergement préférez-vous ? Pourquoi ?

Logements

Plus >

150 € | Canal du Midi – France
Péniche – 8 personnes

200 € | Le Diamant, Le Marin – Martinique
Ti Case en bois – Bungalow/Maison/appt entier

Mon séjour linguistique

Écoutez. 

Pablo parle de son séjour linguistique en France. Répondez.

a. Comment est logé Pablo ?

b. Que pense-t-il de cet hébergement ?

c. Comment Victor et sa famille considèrent-ils Pablo ?

Lisez.

Complétez le tableau avec les éléments du document.

Logement	Activités
Résidences	...
...	...

Hébergement

– Magnifiques résidences sélectionnées avec soin par nos équipes. Découvrez comment sont sélectionnés les collèges et les résidences (p. 38).
– Chambres individuelles ou collectives (6 personnes maximum).
– Sur le campus, **installations sportives et éducatives de grande qualité** : espaces verts, gymnase, terrains de sport et de jeux, piscine, tennis, théâtre.
– Salles de classe modernes et agréables.
– **Pension complète en self-service avec repas chauds le midi et le soir** (les jours d'excursion, paniers repas fournis).

Cours de langue

– **3 heures de cours** de français par jour, le matin.
– **Classes de 12 à 15 élèves**, constituées suite à un **test de niveau**.
– **Examen et bilan** en fin de séjour.

Encadrement

– **Professeurs et animateurs** autochtones et français.
– **1 adulte pour 10 jeunes** de 15 à 18 ans.

Discutez. 

Vous faites un séjour linguistique. Quel type d'hébergement préférez-vous ? Pourquoi.

Projet – Étape 3 : l'hébergement 

Par deux, parlez de votre hébergement lors du séjour choisi à l'étape 1 du projet. Indiquez le type d'hébergement, sa localisation, les personnes rencontrées, leur accueil, et comment votre séjour s'est organisé dans ce lieu.

4. Racontons une mésaventure

Ils sont perdus

 **Écoutez.** 

Pedro et Jordi sont à Lyon avec leur classe. Écoutez et répondez.

a. Qu'est-ce qui arrive à Pedro et Jordi ?
b. Qu'est-ce qu'ils font ?
c. Quel conseil leur donne la femme ? Que décident-ils ?
d. À l'aide du plan, expliquez l'itinéraire à un(e) camarade.

Dire qu'on ne comprend pas

- Pardon ?
- Je n'ai pas compris.
- Vous pouvez répéter ?

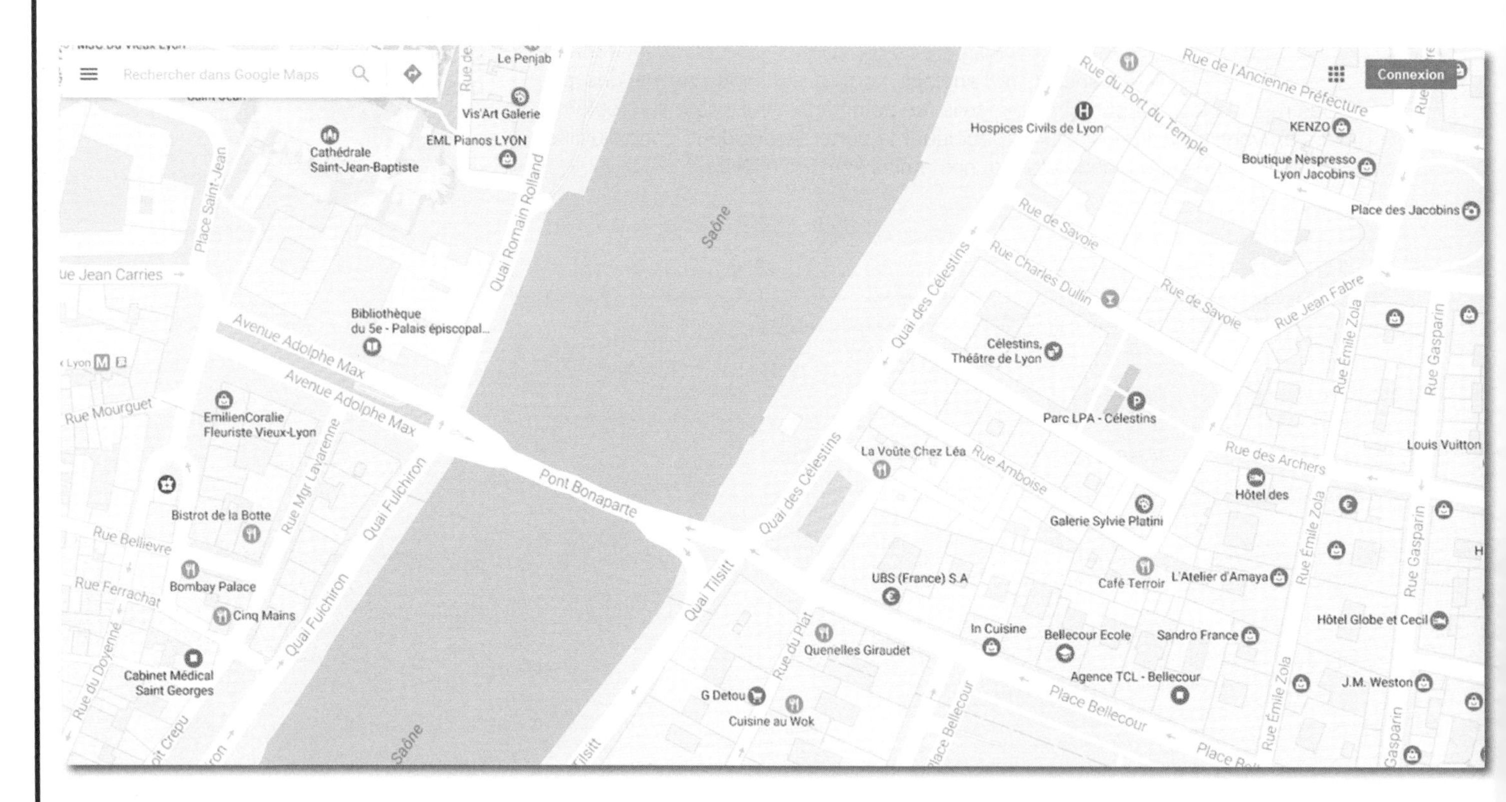

 **Expliquez.** 

Pedro et Jordi se sont trompés de lieu de rendez-vous. Ils sont arrivés place Bellecour, mais ils ont rendez-vous place des Jacobins. Indiquez le chemin à partir du plan de Lyon.

Indiquer un chemin

- Vous prenez la première, deuxième rue...
- Vous descendez...
- Vous continuez tout droit...
- Vous arrivez sur...
- Vous traversez...
- C'est à 5 minutes
- C'est tout droit, à gauche...

Un imprévu...

Lisez.

Lisez l'anecdote de voyage et répondez.

Une soirée dans la salle de bains à Milan !

Pour notre séjour à Milan, nous avons réservé un appartement avec des amis. Deux amies se préparent pour la soirée dans la salle de bains. Une fois prêtes, elles veulent sortir. Mais impossible : la porte est bloquée. Nous essayons tous d'ouvrir la porte : rien à faire. Nous téléphonons au propriétaire. Mais il habite loin, à plus d'une heure de Milan. Nous décidons d'appeler les pompiers. Les pompiers milanais ne comprennent ni le français, ni l'anglais. Et bien sûr, nous ne parlons pas italien… Nous rappelons le propriétaire. Il appelle les pompiers et il explique le problème. Les pompiers arrivent, mais impossible de débloquer la porte. Ils décident donc d'utiliser une scie à métaux. Après une longue attente, nos amies sont enfin libres !

Facebook Twitter in whatsApp Facebook Messenger

D'après www.votretourdumonde.com/anecdote-de-voyage/

a. Dans quel pays se déroule l'histoire ?
b. Pourquoi les deux amies sont bloquées dans la salle de bains ?
c. Qu'est-ce qui est surprenant de la part des pompiers ?
d. Vous êtes le propriétaire de l'appartement de Milan : qu'est-ce que vous faites ?

Écrivez.

Pendant votre voyage, vous avez vécu une mésaventure.
Racontez puis lisez votre histoire à la classe.

PROJET

Réalisons un carnet de voyage !

Vous avez fait un séjour avec votre classe, vos parents, des amis. Vous racontez ce séjour dans un carnet de voyage.

- Reprenez votre travail des étapes 1, 2, 3 et finalisez votre projet. Vous pouvez ajouter le récit d'une mésaventure de voyage (transport manqué, bagage perdu, rencontre originale...).
- Choisissez la forme que vous souhaitez donner à votre carnet de voyage : powerpoint, vidéo, carnet de voyage réalisé sur un site Internet...
- Cherchez des illustrations : photos personnelles ou trouvées sur Internet, cartes postales, dessins réalisés par vous-même... Pensez aux plans (ville, région...).
- Vous pouvez ajouter du son : commentaires personnels, interviews mais aussi de la musique et des chansons.
- Vous pouvez aussi compléter votre travail par l'ajout d'articles de presse, de textes littéraires, de poèmes...
- Rédigez et présentez votre récit de voyage.
- Publiez votre carnet de voyage sur le site de la classe.

Nous sommes allés à Montmartre...

Vérifiez l'exactitude des informations (par exemple la situation géographique du lieu). Donnez votre avis sur votre voyage (le lieu, l'hébergement, les personnes rencontrées...).

Grammaire

Le passé composé

▶ Observez

Lisez.

Olivia a écrit à son amie belge.

Mardi je suis sortie avec Stefanos, mon ami chypriote. Il est arrivé hier. Nous avons pris un café sur les Champs-Élysées. On est allé jusqu'à la tour Eiffel à pied. J'ai voulu prendre les escaliers pour voir le panorama sur Paris mais… trop de monde. Alors nous sommes montés sur un bateau-mouche et nous sommes retournés voir Notre-Dame. Nous ne sommes pas allés à l'Opéra Garnier et nous n'avons pas vu l'Arc de Triomphe.
Après nous avons pique-niqué au bord de la Seine. On est allé au Louvre et on a admiré la Joconde. Ensuite, nous nous sommes baladés. On a pris plein de photos. Je me suis bien amusée.

Répondez.

a. Quand Olivia a écrit son message ?
b. Quand Stefanos est arrivé à Paris ?
c. Quand Olivia s'est promenée avec Stefanos dans Paris ?

Écrivez.

Retrouvez les verbes au passé composé dans le mail d'Olivia. Classez les verbes dans un tableau.

INFINITIF	PASSÉ COMPOSÉ
sortir	
prendre	*Nous avons pris*
aller	
vouloir	
retourner	
voir	
admirer	

▶ Le passé composé

Il est utile pour raconter un événement du passé.
Hier, l'an dernier…

Le passé composé se forme avec ***avoir*** ou ***être*** au présent **+ participe passé**

▶ Le participe passé

• Le participe passé des verbes en « er » → « é »
Complétez la liste.
aller → allé ; monter → monté ; admirer → … ; se balader → … ;

• Le participe passé d'autres verbes
Complétez la liste.
faire → fait ; vouloir → voulu ; prendre → … ; voir → … ;

• L'accord du participe passé
– Avec *avoir*, en général, le participe passé ne s'accorde pas avec le sujet.
→ *Nous avons pique-niqué.*

– Avec *être*, le participe passé s'accorde avec le sujet.
→ *Nous sommes retournés. Elles sont allées.*
Le sujet est au masculin pluriel, le participe passé est au masculin pluriel.
Le sujet est féminin singulier, le participe passé est au féminin singulier.
Le sujet est féminin pluriel, le participe passé est au féminin pluriel.

▶ Les verbes pronominaux au passé composé

Le passé composé des verbes pronominaux se forme toujours avec *être*.
Je me suis baladé, nous nous sommes promenés, elles se sont amusées…

▶ Le passé composé à la forme négative

Nous sommes allés sur les Champs-Élysées. ≠
Nous ne sommes pas allés sur les Champs-Élysées.

Nous avons vu l'Arc de Triomphe. ≠
Nous n'avons pas vu l'Arc de Triomphe.

▶ Appliquez

Écrivez.

**Complétez les textes aves les verbes proposés.
Conjuguez les verbes au passé compose.**

a. La Tour Eiffel

*avoir – devenir – durer – naître
ne pas aimer – vouloir*

La tour Eiffel ... en 1884 pour l'exposition Universelle de Paris de 1889. La construction ... 5 ans. Il y ... un gros scandale. Les gens ... cette construction très moderne. Mais après l'exposition Universelle, personne n' ... détruire la Dame de Fer. Elle ... le symbole de la Paris. Tous les touristes vont la voir.

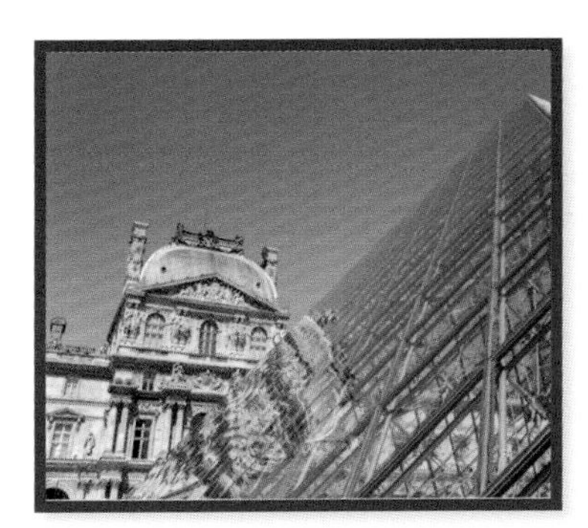

b. Le Louvre

avoir – demander – être – habiter – préférer – rester – s'y promener – vouloir

Avant d'être un musée, le Louvre ... un palais. Les rois de France y ... pendant plusieurs siècles. Le roi Louis XIV ... habiter à Versailles. Il ... à un jardinier célèbre, Le Nôtre, de dessiner les jardins. Il y ... beaucoup de fêtes magnifiques. Avec son château, Louis XIV ... impressionner toute l'Europe. Le palais de Versailles ... l'habitation des rois de France jusqu'à la Révolution.

c. Monsieur Poubelle

décider – devoir – exister – faire – inventer – mourir – naître – ne plus avoir ordonner – vivre

Vous connaissez les poubelles ? Savez-vous que Monsieur Poubelle ... ? Eugène Poubelle ... au XIXe siècle. Il ... à Caen le 15 avril 1831 et il ... à Paris le 16 juillet 1907. Il ... d'améliorer l'hygiène de Paris. Alors, qu'est-ce qu'il ... ? Il ... d'installer de grandes boîtes dans les immeubles parisiens. Les habitants ... jeter leurs déchets dans une « poubelle » commune. Ils ... la possibilité d'avoir des poubelles individuelles. Eugène Poubelle ... le tri des déchets. Aujourd'hui trois boîtes sont obligatoires, une pour les déchets alimentaires, une pour les papiers et une dernière pour le verre.

Le pronom « y »

▶ Observez

Le pronom « y »

- aller à → *y aller*
- habiter à → *y habiter*
- penser à → *y penser*
- s'installer à → *s'y installer*
- arriver à → *y arriver*

Me voilà à Paris.
J'y suis enfin arrivée !
y = à Paris
→ *Y* remplace un lieu.

▶ Appliquez

Écrivez.

**Complétez les phrases avec les verbes proposés.
Conjuguez les verbes au passé composé.**

y aller – y penser – s'y installer

– Je suis allé au stade. Tu ... aussi ?
– Ils habitent à Bruxelles. Ils ... l'année passée.
– Tu as pensé à notre fête ? Tu ... ?

Écrivez.

**Répondez au message d'Olivia (page ci-contre).
Utilisez le passé composé et le pronom « y ».**

Phonétique

Les sons [e] et [ə]

 **Parlez.**

Gymnastique articulatoire ! Observez le dessin des lèvres. Faites les mêmes mouvements et prononcez le son [e] et le son [ə].

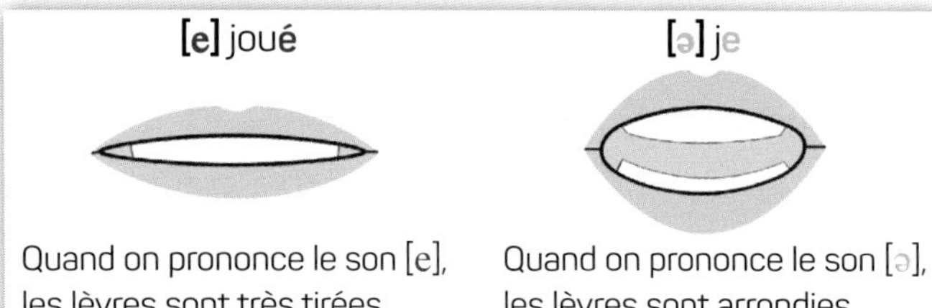

Quand on prononce le son [e], les lèvres sont très tirées et la bouche est fermée.

Quand on prononce le son [ə], les lèvres sont arrondies et la bouche est presque ouverte.

 **Écoutez et lisez.**  

Écoutez, lisez le texte à un(e) camarade, puis inversez les rôles.

Ce dimanche ? J'ai téléphoné à un ami et nous sommes allés à la piscine. Nous sommes aussi allés au cinéma. On n'a pas aimé le film. Le soir, je me suis baladée avec Sophie. Puis, je suis retournée chez moi.

 **Recopiez les mots dans votre cahier.**

Soulignez en rouge les sons [e] et en vert les sons [ə].

a. l'araignée
b. le musée
c. un vélo
d. La péniche
e. l'orchidée
f. un hébergement
g. la semaine
h. une personne

4 Écoutez. (18)

Vous entendez ou [e] ou [ə] ? Choisissez la bonne réponse.

	[e]	[ə]
a.	✓	
b.		
...		

 **Écoutez.**  

Écoutez les phrases. Est-ce que vous entendez le son [e] ? Comparez vos réponses.

	[e]
a.	
b.	
...	

 **Écoutez et écrivez.** 

Écoutez et écrivez la phrase entendue. Vous entendez le son [e] ou le son [ə] ?

Exemple : a. *Tu te couches.* [ə]

 **Lisez et parlez.**  

Lisez le texte et repérez les sons [e] et les sons [ə]. Comparez avec votre voisin(e). Écoutez l'enregistrement pour vérifier.

J'ai longtemps voyagé dans le monde et la nuit.
Je suis enfin arrivé sur mon île du levant.
Je marche le long d'une plage, je monte sur une montagne.
La lune se couche sur l'océan, le soleil commence à briller.
Les oiseaux vont chanter. Je te vois doucement arriver.

 **Écoutez et parlez.**  

Écoutez et jouez les dialogues à deux. Attention à l'intonation !

Pour tester seul votre prononciation :
- allez sur google.fr avec le navigateur Chrome ;
- cliquez sur le petit micro, dites ces petits textes ;
- regardez si Google transcrit correctement vos paroles.

Utilisons les outils de la langue

Écrivez.

Choisissez un nuage et complétez ce nuage avec le plus d'idées possibles.
Mettez en commun au tableau toutes les informations.

Écrivez.

Complétez le document de l'agence de voyage avec les mots suivants :
vélo – séjour – tour – randonnée – péniche

Vous voulez voyager en France ?
Nous vous proposons :

- Un … de deux semaines en Méditerranée à bord d'un magnifique voilier.
- Une … à la découverte des châteaux Cathares, entre l'Aude et l'Ariège.
- Un … en bus pour découvrir les charmes de Toulouse.
- La découverte du Canal du Midi sur une … .
- Un parcours à … à travers le Causse du Larzac.

Parlez.

Observez les dessins et racontez, chacun à votre tour, le voyage de monsieur Bonhomme.
Exemple : *Il a éteint son ordinateur. Il est parti avec son sac à dos…*

Pour vous aider

Aller au karaoké	Marcher
Allumer un feu	Partir avec son sac à dos
Éteindre son ordinateur	Partir en voyage
Faire de l'alpinisme	Planter sa tente
Faire une randonnée	Prendre des photos
Jouer de la guitare	Prendre le bus

Faisons le point

Observez les documents du sac d'Inès. Établissez la liste des voyages et des activités d'Inès.

Exemple : *Inès a dormi à l'hôtel à Toulouse.*

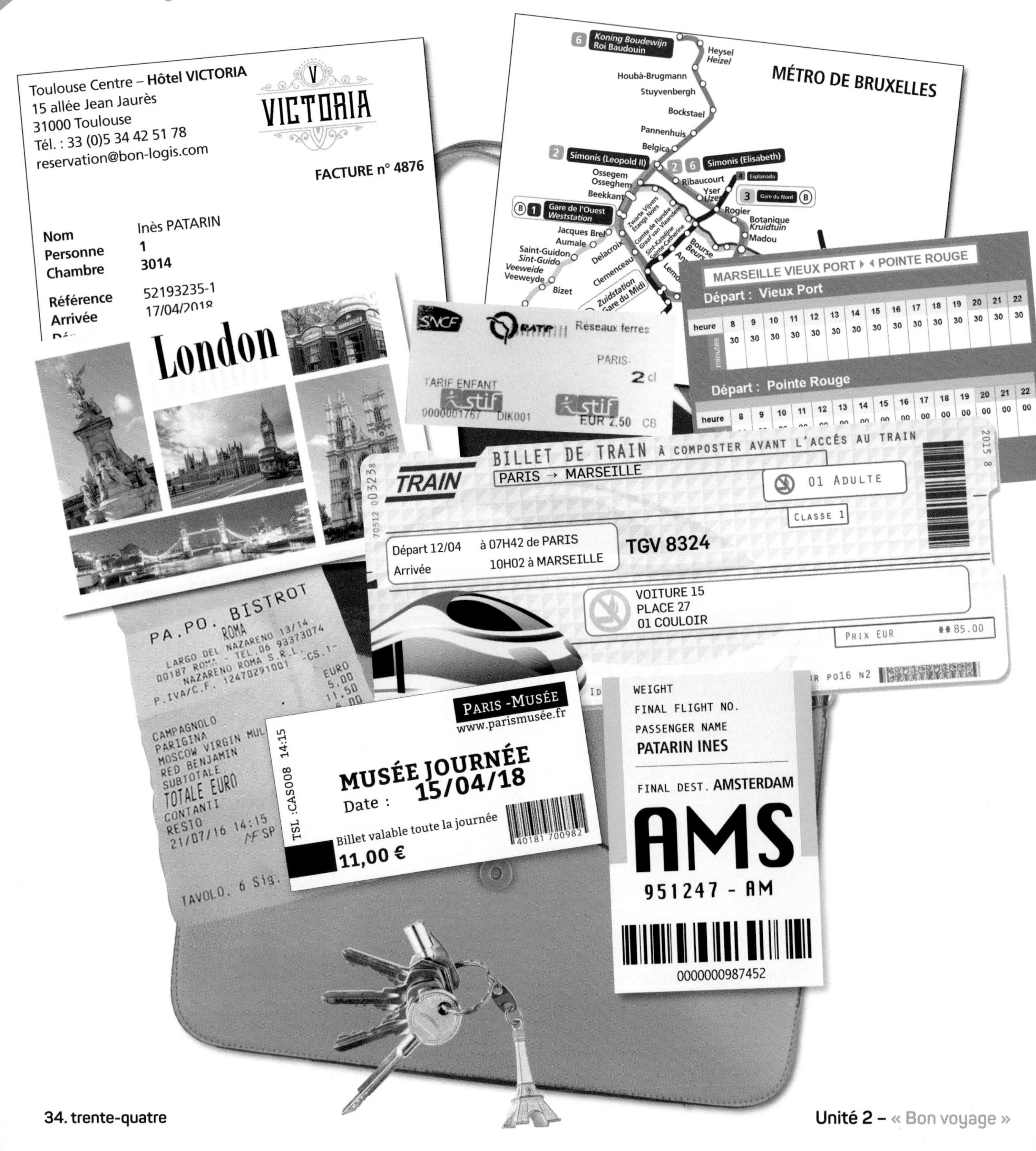

Unité 3

À TABLE !

Projet

Présentons une recette

Nous allons faire une vidéo pour présenter une recette. Nous commençons par choisir la recette et faire la liste des ingrédients. Nous réfléchissons à des solutions anti-gaspillage pour cette recette. Nous proposons des alternatives à notre recette pour les personnes allergiques ou avec un régime alimentaire particulier. Nous expliquons l'origine du plat.

Un journal en ligne

Nous allons :

- découvrir une recette .... p. 36-37
- lutter contre le gaspillage alimentaire .... p. 38-39
- faire les courses .... p. 40-41
- présenter un plat .... p. 42-43
- utiliser les outils de la langue .... p. 44-47
- faire le point .... p. 48

1. Découvrons une recette

Gaspar est passionné de cuisine. Il réalise des vidéos de ses recettes préférées et il les poste sur Internet.

À manger...

Regardez la vidéo 4 « Chef Gaspar, la bûche de Noël ».

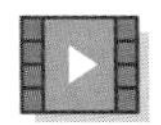

a. Chef Gaspar présente sa recette de la bûche de Noël. Faites la liste des ingrédients avec les quantités.

Les ingrédients

- Un œuf
- Le sucre
- La farine
- Le chocolat
- Le lait

La quantité

- *du chocolat, de la farine, des fruits...*
- *170 g de chocolat, 5 œufs...*

Relevez dans la vidéo toutes les quantités déterminées et indéterminées.

Les pronoms compléments

- *Je mets le lait et je le fais chauffer...*
- *Je roule ma bûche et je la dépose...*

Dans les deux exemples, « *le* » et « *la* » remplacent quels mots ?

b. Regardez à nouveau la vidéo. Remettez la recette dans l'ordre.

a. Enfourner le plat.
b. Verser le lait d'amande dans le chocolat.
c. Mélanger le sucre, les jaunes d'œuf et la farine.
d. Rouler la bûche.
e. Verser la pâte sur une plaque.
f. Couper les extrémités.
g. Monter les blancs d'œufs en neige.
h. Étaler le chocolat sur la pâte.

Pour réaliser une recette

- Séparer
- Mélanger
- Monter
- Ajouter
- Verser
- Étaler
- Enfourner
- Mettre
- Rouler
- Couper

Observez et lisez.

Associez les photos aux bonnes étapes de l'activité 1.

 Cherchez. 

La bûche de Noël est une spécialité française. Faites des recherches sur ce dessert.

 Écoutez et écrivez. 

Laura est en train de réaliser des allumettes au fromage.

a. Écoutez ses explications et retrouvez les 5 étapes de la recette.
b. Préparez la liste des ingrédients pour le site Internet.

 Expliquez. 

Vous expliquez la recette à un(e) camarade. Il/Elle vous pose des questions. Utilisez le présent progressif et exprimez la chronologie.

> **Le présent progressif**
>
> • *Je suis en train de séparer le blanc du jaune.*
>
> Quand se passe l'action ? Comment cette conjugaison est-elle construite ?

> ***Pour exprimer la chronologie***
>
> · D'abord
> · Puis
> · Ensuite
> · Pour finir
> · Enfin

... Et à boire

 Regardez la vidéo 5 « Chef Gaspar, le jus de fruit ». 

a. Donnez le nom de la recette.
b. Imaginez une autre recette de jus de fruit.

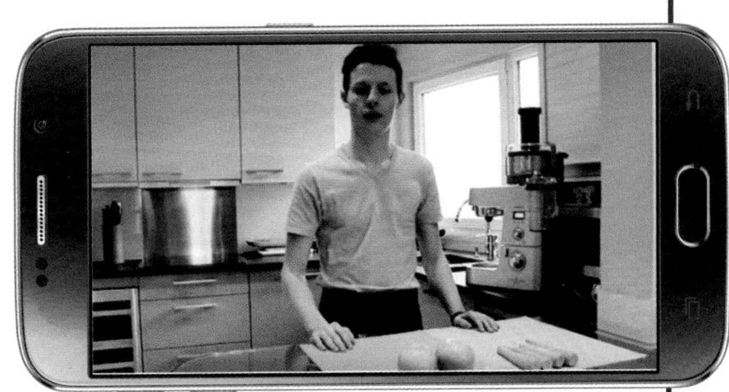

 Lisez et écrivez.

Lisez les commentaires des internautes sur la vidéo de Chef Gaspar. Écrivez votre commentaire.

Jus carotte, pomme, gingembre | Chef Gaspar

1 204 vues — 25 — 3 — partager

4 commentaires — TRIER PAR

Ajouter un commentaire public

Pauline il y a 3 jours
Super idée le gingembre. J'adore !

Clara il y a 4 jours
Je n'ai pas de centrifugeuse. Je fais comment ?

Antoine il y a 5 jours
J'aime beaucoup. Mais il ne faut pas mettre trop de gingembre !

Mat il y a 8 jours
N'importe quoi, ce n'est pas mauvais. C'est délicieux. Trop bon !

Léa il y a 8 jours
Moi, je n'aime pas du tout. C'est trop bizarre, la couleur surtout. Et puis j'ai horreur des fruits !

> ***La boisson***
>
> · Un jus de fruit
> · Une pomme
> · Une carotte
> · Le gingembre

> ***Pour parler de ses goûts***

+	–
· C'est délicieux	· C'est mauvais
· J'aime	· Je n'aime pas
· J'aime beaucoup	· Je déteste
· J'adore	· J'ai horreur de...

Projet – Étape 1 : le choix de la recette

Choisissez une recette : plat salé, dessert, recette traditionnelle... Préparer la liste des ingrédients nécessaires pour cette recette. La liste doit être très précise et complète. Indiquez également les quantités.

2. Luttons contre le gaspillage alimentaire

Halte au gaspillage !

 **Observez et lisez.**

a. En France, combien de kilos de nourriture sont jetés par personne et par an ?
b. Quelle somme d'argent représente ce gaspillage ?
c. On parle de 7 kg d'aliments emballés. Expliquez.
d. Que peut-on faire pour réduire ce gaspillage ?
e. Quels types de plats on peut cuisiner avec des restes ?

Le gaspillage alimentaire

- Une lutte / Lutter
- Le gaspillage / Gaspiller
- Le gâchis
- Un déchet
- Un reste
- Jeter
- Rassis
- Défraîchi(e)
- Abimé(e)

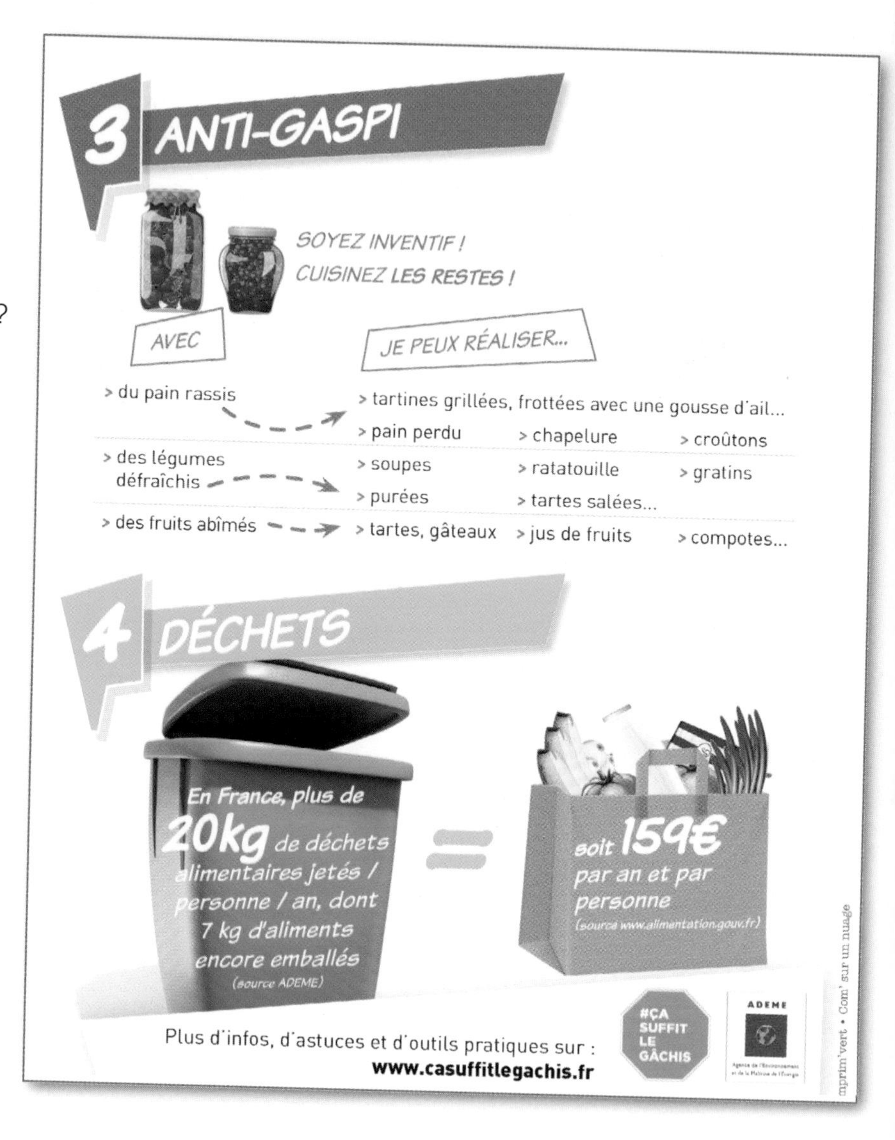

  **Écoutez.** 24

Des passants sont interrogés sur le gaspillage alimentaire. Écoutez leurs témoignages.
a. Qu'est-ce qu'un comportement exemplaire ?
b. Parmi les personnes interrogées, qui n'a pas un comportement exemplaire ? Expliquez.
c. Faites la liste des solutions citées pour lutter contre le gaspillage alimentaire.

Donner son avis

- Je pense que...
- Je considère que...
- À mon avis...
- Pour moi... / Selon moi...

 **Parlez.**

Vous répondez à votre tour au micro-trottoir. Imaginez la réponse de votre famille. Donnez votre avis.

Des solutions pour tous

Des solutions inventives contre le gaspillage dans des restaurants lyonnais

Quatre couleurs pour quatre tailles de menus, en fonction de l'appétit ! Ce restaurant lyonnais offre aux consommateurs des menus adaptés à la taille de leur appétit. De l'entrée au dessert, toutes les assiettes sont préparées dans la taille commandée. Le S, couleur blanche, correspond aux tapas, le M, en jaune, à une demi-taille. L'assiette L, verte, est la taille classique, et le XL, en rose, est destinée aux très gros mangeurs. Donc S, M, L, XL comme dans les vêtements ! Résultat : 40 % de déchets alimentaires en moins ! Mais le client doit savoir évaluer son appétit avant le repas...
Dans cet autre établissement lyonnais, le chef propose à tous ses clients d'emporter les restes. Mais les clients vont-ils oser demander le « Gourmet bag » ? Pas sûr...

D'après « des solutions inventives contre le gaspillage dans des restaurants de lyon », France 3.

 **Lisez.**

Des restaurateurs s'organisent pour lutter contre le gaspillage alimentaire. Lisez l'article et relevez les phrases exactes.

a. Les restaurateurs parisiens luttent contre le gaspillage alimentaire.
b. Chaque couleur correspond à une taille d'assiette, comme pour les vêtements.
c. Les clients choisissent leur assiette en fonction de leur appétit.
d. Cette solution permet de réduire de 40 % les déchets alimentaires.
e. Tous les restaurants de Lyon proposent le « Gourmet bag ».

L'adjectif indéfini *tout*

- *toutes les assiettes, tous ses clients...*

Observez. Avec quoi s'accorde « tout » ?

 **Observez.**

Regardez l'affiche et répondez.

a. Quel événement annonce cette affiche ?
b. Pourquoi la carotte est-elle « injustement condamnée » ?
c. Quel est le lien entre la photo du légume et le but du « Banquet des 5 000 » ?

 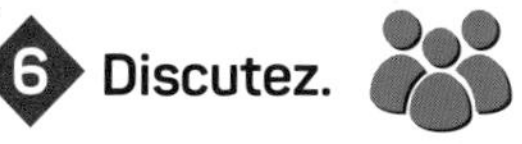 **Discutez.**

Quelles solutions peut-on mettre en place pour lutter contre le gaspillage alimentaire dans les restaurants ? Reprenez les éléments de la leçon et faites de nouvelles propositions.

Projet – Étape 2 : la lutte contre le gaspillage alimentaire

Comment peut-on lutter contre le gaspillage alimentaire chez soi, dans les restaurants, à la cantine ? Faites la liste des actions présentées dans la leçon puis complétez cette liste. Choisissez un conseil adapté à votre recette. Vous allez mettre ensuite en pratique ce conseil dans votre projet final. Restez réaliste !

Exemples
Je cuisine à partir de restes.
Je cuisine à partir d'épluchures...

3. Faisons les courses

Je participe à un défi

1 Lisez.

Découvrez la page d'accueil du site « Défi cuisine » et répondez.

a. Que propose ce site ?

b. Quel est le défi de la semaine ?

c. Que faut-il faire pour participer ?

d. Qu'est-ce qu'on peut gagner ?

DÉFI CUISINE

Photographiez et partagez votre recette.

ACCUEIL | ACTUALITÉS | MISSION | RECETTES | AUTRES

Nouveau défi : défi Pasta #defipasta

Publié le 17 décembre 2017

Participez à notre nouveau défi et remportez des cours de cuisine à l'atelier des chefs.

Comment participer ?

- Postez votre recette sur le site avec une photo. Attention la photo est obligatoire !
- Proposez une recette de pâtes, originale et facile à réaliser.
- Relevez le défi en partageant vos recettes avant le 20 décembre. N'oubliez pas le #defipasta pour participer !

On fait les courses

Écoutez et lisez. 

a. **Roxane et Jules participent au défi de la semaine. Jules a fait la liste des courses. Vérifiez et corrigez sa liste de courses.**

b. **Un(e) invité(e) ne mange pas de viande. Quelle option vous choisissez ?**

ACHETER
- 400 grammes de macaroni
- un sac de légumes surgelés coupés en petits morceaux
- 3 poivrons
- 2 blancs de poulet ou 350 litres de crevettes ou un bloc de tofu
- 1 boîte de sauce tomate
- 1 bouquet de coriandre

L'obligation et l'interdit

- *Il faut acheter...*
- *Il **ne** faut **pas** prendre...*

Qu'est-ce qu'indique « il faut » ?

La quantité

- Le kilo (kg)
- Le gramme (g)
- Le litre (l)
- Un sac
- Une boîte
- Un bouquet

 **Écoutez et écrivez.** 

Mehdi et Clara font les courses au supermarché. Faites la liste de leurs achats.

> **Le pronom « en »**
> - *Des tomates, j'en ai sept.*
> - *Il y a du concombre. J'en prends un ?*
>
> Qu'est-ce que remplace le pronom « en » ?

Bien manger

 **Lisez.**

Prenez connaissance des deux documents.

a. Quels conseils de la liste vous appliquez ?
b. Ajoutez un conseil à la forme affirmative et un à la forme négative.
c. Quelle est la différence entre les végétariens et les véganes ?
d. Pourquoi faut-il faire attention aux allergies alimentaires ?

> **L'impératif négatif**
> - *Vous ne buvez pas de sodas.*
>   → ***Ne** buvez **pas** de sodas.*
>
> Comment se forme l'impératif à la forme négative ? Rappelez la conjugaison de l'impératif à toutes les personnes.

Les régimes alimentaires

Réunir ses amis autour d'un plat unique est de plus en plus difficile. Parfois, c'est même un véritable casse-tête ! Il faut tenir compte des régimes de chacun et aussi des allergies alimentaires.
Aujourd'hui on rencontre surtout des végétariens et des véganes (ou végétaliens). Les végétariens ne mangent pas de viande ni de poisson. Les véganes ne mangent aucun produit d'origine animale (ni viande, ni poison, ni œuf, ni lait...). Les allergies alimentaires sont très variées. Il existe des allergies à l'arachide, au soja, aux crustacés... Il vaut mieux interroger ses invités au préalable. Certaines allergies alimentaires sont très graves. Elles peuvent être mortelles.

Mangez sain, mangez équilibré

- Mangez à heure fixe.
- Évitez les plats préparés.
- Ne mangez pas trop de sucrerie.
- Limitez les féculents.
- Buvez en suffisance, mais ne buvez pas de sodas ni d'alcool.
- Mangez 5 fruits et légumes par jour.
- Mangez de tout avec modération mais ne vous privez pas !

 **Écrivez.**

Vous suivez un régime particulier ou vous avez des allergies alimentaires. Vous êtes invité(e). Vous envoyez un mail avec une liste des aliments à éviter. Écrivez à l'impératif.

– Ne prépare(z) de viande.
– Ne cuisinez pas avec de l'huile d'arachide.

 **Débattez.** 

Suivez-vous un régime alimentaire particulier ? Que pensez-vous des différents régimes alimentaires ? Vous pouvez aussi évoquer les locavores (ils mangent seulement les productions de leur région), les flexitariens (ils limitent leur consommation de viande)...

Projet – Étape 3 : les allergies et les régimes alimentaires

Reprenez votre recette. Prévoyez plusieurs cas : une personne est allergique à un aliment de votre menu ; une personne est végétarienne... Imaginez d'autres ingrédients pour remplacer ces aliments dans votre recette.

4. Présentons un plat

Un peu d'histoire

Lisez.

Le hachis Parmentier, toute une histoire !

Au XVIIIe siècle, en France, on ne mange pas les pommes de terre. On s'en méfie et on les donne aux animaux. Antoine Parmentier (1737-1813), un pharmacien-militaire français, va s'intéresser à la pomme de terre. Bientôt, il découvre les qualités alimentaires de ce produit. Pour convaincre les Français, il prépare pour le roi un repas à base de ce seul légume. Depuis, les Français raffolent de la pomme de terre.

Le hachis Parmentier est un plat à base de purée de pommes de terre et de restes de viandes. Il est économique. En effet, il se compose de pommes de terre, légume bon marché, et de restes de viande. C'est un plat nutritif, familial et traditionnel, idéal pour éviter le gaspillage alimentaire ! Il porte le nom de Parmentier en hommage au découvreur de la pomme de terre.

a. Qui est Parmentier ?
b. Pourquoi pendant longtemps les Français ne mangent pas de pommes de terre ?
c. Pourquoi les Français se mettent à manger des pommes de terre ?
d. Pourquoi le hachis Parmentier est idéal pour éviter le gaspillage alimentaire ?

Lisez

Découvrez la recette du hachis Parmentier.
a. Combien de temps au total prend la réalisation de la recette ?
b. Dans cette recette, qu'est-ce qu'on épluche ?
c. Qui ne peut pas manger de hachis Parmentier ?

Le complément du nom

- *une pomme de terre*
- *un plat à gratin*
- *le hachis de viande*

Observez. Quel type de mot sert à construire les compléments du nom ?

Le hachis Parmentier

(pour 4 personnes)

Très facile ★★★★
Bon marché ★★★★

Préparation : 30 min
Cuisson : 30 min

Ingrédients
- 1 kg de pommes de terre
- 1 oignon
- 300 g de viande hachée
- 50 g de beurre
- 2 verres de lait environ
- 50 g de gruyère râpé
- sel et poivre

Préparation
1. Épluchez les pommes de terre. Faites-les cuire dans une casserole d'eau bouillante 20 à 30 min.
2. Pendant ce temps, épluchez et hachez les oignons. Faites-les revenir dans une sauteuse avec 40 g de beurre. Quand ils sont dorés, ajoutez la viande. Salez et poivrez.
3. Quand les pommes de terre sont cuites, mixez-les ou écrasez-les. Ajoutez le lait et le reste du beurre. Salez.
4. Beurrez un plat à gratin. Étalez une couche de purée de pommes de terre, puis une couche de viande et une autre couche de pommes de terre. Ajoutez le fromage râpé.
5. Mettez dans un four préchauffé, thermostat 7-8. Laissez cuire 20 minutes environ. Le dessus doit être gratiné.

 Écoutez. 

Les recettes ont toutes une histoire. Écoutez et complétez le tableau.

	TYPE DE PLAT	OÙ EST NÉ LE PLAT ?	QUAND ?	POURQUOI CE NOM ?
La tarte Tatin				
L'éclair				
La pizza Margherita				

 Interrogez et répondez. 

Un(e) camarade vous interroge sur l'histoire de la tarte Tatin, de l'éclair, de la pizza Margherita ou du hachis Parmentier. Il/Elle commence ses questions par « Pourquoi ». Répondez avec « Parce que ». Vous pouvez aussi parlez d'autres recettes.

> Pourquoi / Parce que
>
> • *Pourquoi ce nom ? Parce qu'il se mange vite.*
>
> Relevez dans l'enregistrement les questions avec « *pourquoi* » et les réponses avec « *parce que* ».

PROJET

Présentons une recette

Nous allons tourner une vidéo pour présenter à nos amis une recette de cuisine.

◈ Recherchez l'origine de votre recette et/ou de son nom. Vous pouvez aussi proposer une variante de la recette, présenter une tradition en lien avec ce plat…

◈ Reprenez votre travail des étapes 1, 2 et 3 et finalisez votre projet. Vous devez maintenant rédiger la recette. Vous pouvez vous aider de la fiche cuisine du hachis Parmentier.

◈ Maintenant faites une vidéo de la réalisation de votre recette, à la manière de Chef Gaspar par exemple. Publiez votre recette sur le site Internet de la classe. À présent, réalisez les recettes de vos camarades et postez des commentaires sur le site de la classe !

- Lorsque vous proposez une recette, il faut toujours être très précis sur les quantités.
- N'oubliez pas un ingrédient (sel, poivre…).
- Soyez précis sur les temps de cuisson.

Grammaire

Les pronoms compléments

▶ Observez

1 Lisez.

Découvrez avec Gaspar une nouvelle recette.

Gâteau au chocolat

(pour 6 personnes)

Ingrédients
- 200 g de chocolat
- 100 g de beurre
- 100 g de sucre en poudre
- 50 g de farine
- 3 œufs

Préparation
1. Cassez les œufs et séparez les blancs des jaunes.
2. Dans le saladier, ajoutez le sucre et la farine aux jaunes d'œufs. Mélangez-les.
3. Dans une casserole, faites fondre le chocolat et le beurre. Puis ajoutez-les au mélange.
4. Battez les blancs en neige. Incorporez-les au mélange. Lorsque la pâte est bien homogène, versez-la dans le moule.
5. Mettez le gâteau dans le four et faites-le cuire environ 20 minutes. Soyez attentif à la cuisson.
6. Sortez le gâteau du four. Démoulez-le et laissez-le refroidir.

2 Répondez.

a. À la deuxième étape, qu'est-ce qu'il faut mélanger ?
b. Combien de temps il faut le faire cuire ?
c. Une fois qu'il est démoulé, que faut-il faire ?

3 Écrivez.

À quels mots correspondent les pronoms compléments de la recette ? Complétez le tableau.

mélangez-les	*le sucre et la farine*
ajoutez-les	
incorporez-les	
versez-la	
faites-le	
démoulez-le	
laissez-le	

▶ Les pronoms compléments « le », « la », « l' », « les »

Ils permettent d'éviter la répétition d'un complément d'objet direct.

Complétez

Vous étalez la pâte. → Vous l'étalez. – Vous versez le mélange. → Vous ... – Vous ajoutez les œufs. → Vous ...

MASCULIN	FÉMININ	PLURIEL
*le/l'**	*la/l'**	*les*

** « le » et « la » devient « l' » devant une voyelle ou un « h » muet.*

Quand le verbe est à l'impératif, on ajoute un « - » entre le verbe et le pronom complément.
- *Versez-la. – Étalez-le...*

▶ Le pronom « en »

Il sert à remplacer un nom introduit par un article partitif ou un article indéfini. Il remplace des quantités déterminées ou indéterminées.
– *Tu veux du lait ? – Oui j'en veux.*
– *Tu achètes des pommes ? – J'en achète et j'en mange une.*

▶ Appliquez

4 Écrivez.

Transformez les phrases comme dans l'exemple.

Exemple : *Il mange **le gâteau au chocolat**. → Il le mange.*

a. Je pose **les biscuits** dans le plat.
b. Vous mangez **les légumes** froids.
c. Ajoutez **la viande** au dernier moment.
d. Tu montes **les blancs** en neige.
e. Versez **le lait** dans le mélange.
f. J'incorpore **la crème** aux jaunes d'œufs.
g. Tu fais cuire **le gâteau**.

5 Répondez.

Répondez et utilisez un pronom complément comme dans l'exemple : *le, la, l', en.*

Exemple : *Tu aimes la bûche de Noël ? → Oui, je l'aime.*

a. Elle prépare le gâteau pour demain ? Oui, ...
b. Vous versez la farine en premier ? Oui, ...
c. Paul mange beaucoup de légumes ? Oui, ...
d. Tu connais la recette du hachis Parmentier ? Non, ...
e. Ils font les courses ? Oui, ...
f. Il faut du sucre ? Non, ...

L'adjectif indéfini « tout »

▶ Observez

▶ L'adjectif indéfini « tout »

Il exprime en général une quantité. Il s'accorde avec le nom qu'il accompagne.

- *Tout le monde a bien mangé.*
- *J'ai fini toute mon assiette.*

	MASCULIN	FÉMININ
SINGULIER	*tout*	*toute*
PLURIEL	*tous*	*toutes*

▶ Appliquez

Écrivez.

Complétez avec l'adjectif indéfini « tout » à la forme qui convient.

a. Dans ce restaurant, ... les assiettes n'ont pas la même taille.
b. Ils finissent ... leur assiette.
c. On peut réutiliser ... les déchets,
d. ... les personnes peuvent partir avec leurs restes.
e. Il faut faire attention à ... les allergies alimentaires.

Le complément du nom

▶ Observez

▶ Le complément du nom

Il permet de donner des précisions sur un nom.
Il est introduit par une préposition : *à*, *en*, *de*...

- *Un jaune d'œuf*
- *Un plat à gratin*
- *Un plat en terre*

▶ Appliquez

Écrivez.

Complétez avec la bonne préposition.

a. Faites cuire dans un plat ... gratin.
b. Il boit un grand verre ... lait.
c. Pour la recette, il faut 2 blancs ... poulet.
d. Il mange dans une assiette ... carton.

Le présent progressif

▶ Observez

▶ Le présent progressif

Il est utilisé pour parler d'une action au présent dans sa continuité.

Le présent progressif se forme avec
être au présent + *en train de* + verbe à l'infinitif

- *Gaspar est en train de faire une bûche de Noël.*

▶ Appliquez

Écrivez.

Vous faites la recette de gâteau au chocolat de l'activité 1. Vous expliquez la recette au présent progressif.

Exemple : *Je suis en train de casser les œufs...*

L'impératif

▶ Observez

▶ L'impératif

Il est utilisé pour donner une instruction.
L'impératif se conjugue seulement à 3 personnes (2e personne du singulier, 1re et 2e personnes du pluriel). Le sujet n'est pas exprimé. Pour les verbes réguliers, on reprend la conjugaison du présent de l'indicatif. Pour les verbes du 1er groupe, on supprime le « s » de la 2e personne du singulier.

- *tu manges → mange*
- *nous mélangeons → mélangeons*
- *vous cassez → cassez*

▶ Les verbes irréguliers

Être → sois, soyons, soyez
Avoir → aie, ayons, ayez...

▶ L'impératif négatif

ne + verbe + *pas*
*Ne **mange** pas !*

▶ Appliquez

Parlez.

Donnez 3 instructions à un(e) camarade à l'impératif négatif.

Exemple : *Ne mange pas de bonbons, c'est mauvais pour la santé !*

nité 3

Phonétique

Les nasales [ɑ̃], [ɔ̃], [ɛ̃]

1 Observez.

mange	citron	gratin
	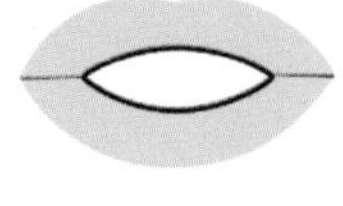	
Quand on prononce [ɑ̃], les lèvres sont légèrement arrondies, la bouche est bien ouverte.	Quand on prononce [ɔ̃], les lèvres sont très arrondies la bouche est presque fermée.	Quand on prononce [ɛ̃], les lèvres sont tirées, la bouche est presque fermée.

2 Lisez.

Lisez les phrases et notez les différentes graphies des sons [ɑ̃], [ɔ̃] et [ɛ̃].

a. On mange du pain et du gingembre.
b. C'est très simple !
c. Il y a un plat plein citron.
d. J'ai faim.
e. Lundi, on rentre ensemble ?

3 Écoutez. 28

Pour chaque mot, quel son entendez-vous ?

	[ɑ̃]	[ɔ̃]	[ɛ̃]
a.			✓
b.			
...			

4 Lisez et écoutez. 29

Recopiez les phrases dans votre cahier. Soulignez en rouge le son [ɑ̃], en vert le son [ɔ̃] et en bleu le son [ɛ̃]. Écoutez pour vérifier.

a. Les enfants ont mangé cinq pains au chocolat
b. Ce restaurant sert du bon vin et des plats fins.
c. Le parfum du citron et de l'orange donne du goût au poisson.
d. Le saumon aux champignons sera prêt dans cinq secondes.

5 Écoutez. 30

Quels sons entendez-vous : [ɛ̃] ou [ɑ̃] ou les deux ?

	[ɛ̃]	[ɑ̃]	Les deux
a.		✓	
b.			
...			

6 Écoutez. 31

Écoutez les phrases et relevez les mots avec les sons [ɑ̃], [ɔ̃], [ɛ̃]. Écrivez-les dans la bonne colonne.

	[ɑ̃]	[ɔ̃]	[ɛ̃]
a.			
b.			
...			

a. J'aime le hachis Parmentier.
b. Tu veux de la tarte Tatin ou un éclair ?
c. Il faut manger sain et équilibré.
d. Il suit un régime alimentaire.
e. Pour le dîner, Paul a préparé un gratin.

7 Écoutez. 32

Écoutez et lisez les phrases de plus en plus vite.

a. Tous les matins, je mange une orange. C'est bon pour la santé !
b. Un pain au chocolat, cinq croissants, vingt pains au raisin. On a faim !
c. Adrien est végétarien. Il mange du pain, du raisin, des citrons, des concombres, du gingembre. Il ne mange pas de viande.

Utilisons les outils de la langue

1 Lisez et écrivez.

Complétez la recette du gâteau au chocolat avec les verbes proposés.

ajoutez – mélangez – mettez – cassez – montez – versez – faites – séparez

Mousse au chocolat

Recette facile

Ingrédients
Pour 6 personnes
- 220 grammes de chocolat
- 6 œufs

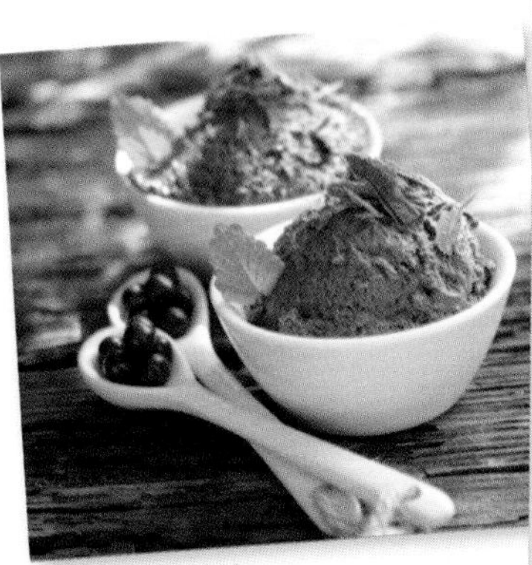

- … fondre le chocolat.
- … les œufs et … le blanc du jaune.
- … le chocolat fondu et les jaunes d'œufs. … les blancs en neige
- … les blancs en neige au mélange.
- … la mousse dans des petits bols.
- … au réfrigérateur.

2 Parlez.

Quels sont les ingrédients du hachis Parmentier ?

3 Parlez.

Commentaires positifs ou négatifs ? Classez les appréciations sur la bûche de Gaspar.

J'adore la bûche de Noël.

Ah ! Mais c'est mauvais.

J'ai horreur du chocolat.

C'est vraiment délicieux.

C'est mon plat préféré.

Je déteste les gâteaux.

4 Parlez.

Laura fait les courses. Mais les quantités sont effacées sur sa liste. Aidez-la à retrouver les quantités.

Acheter :
1 … de pommes de terre
3 … de jus de fruits
1 … de coriandre
1 … de sauce tomate
500 … de poires
2 … de lait
2 … d'oignons
1 … de légumes surgelés

5 Écrivez.

Lisez les définitions et retrouvez les mots.

a. Le plat est très gros. Ils n'ont pas tout mangé. Il y a des … .
b. Les épluchures de pommes de terre, c'est un … .
c. Dans ce restaurant, on ne jette rien. On lutte contre le …

6 Parlez.

Faites 2 phrases chacun pour donnez votre avis sur le gaspillage alimentaire et la lutte contre le gaspillage alimentaire. Utilisez les expressions suivantes.

Selon moi… – Je considère que… – À mon avis… – Je pense que… – Pour moi…

Unité 3 Faisons le point

Arthur a invité des amis pour la soirée. Il a posé sur la table de la cuisine le contenu du réfrigérateur et des placards.

▶ Faites la liste de tous les aliments.

▶ À partir de cette liste, proposez un menu (plat + dessert) et faites la listes des aliments à acheter. N'oubliez pas de préciser les quantités ! Vous n'êtes pas obligés d'utiliser tout les aliments du réfrigérateur et des placards d'Arthur.

Exemple : *spaghettis aux crevettes et gâteau au chocolat.*
Acheter :
1 paquet de sucre
1 bouquet de coriandre
...

Unité 4

ON SORT !

Projet

Réalisons une enquête sur les loisirs

Nous allons faire une enquête sur les loisirs des jeunes et la présenter. Nous allons d'abord faire une liste de toutes les activités de loisirs. Puis nous allons préparer un questionnaire sur les loisirs et nous interrogerons les autres élèves de la classe. Nous analyserons les réponses et nous les présenterons sous forme de graphiques. Puis nous rédigerons une présentation pour le journal de la classe.

Un journal en ligne

Nous allons :

- organiser une sortie entre amis .... p. 50-51
- pratiquer des activités .... p. 52-53
- analyser les résultats d'une enquête .... p. 54-55
- découvrir des activités originales .... p. 56-57
- utiliser les outils de la langue .... p. 58-61
- faire le point .... p. 62

1. Organisons une sortie entre amis

Qu'est-ce qu'on peut faire ?

 **Écoutez.** 

Quelle activité correspond à chaque situation ?

a. Je veux passer une soirée tranquille en famille.
b. J'aime les sensations fortes.
c. J'ai envie d'apprendre à chanter.
d. Je veux faire un stage sportif pendant les vacances.
e. J'aime lire au calme et surfer sur Internet.

Les activités

- Le skate
- Le roller
- Le BMX
- Le football (le foot)
- Le basket
- Le handball (le hand)
- Le tennis
- La musique
- Le bowling
- Le cinéma
- La bibliothèque

2 **Observez.**

Associez le nom des activités aux photos.
faire un bowling – faire du roller – jouer au basket – aller au cinéma – faire de la musique

1

2

3

4

5

  **Discutez.**

Quelles activités présentées dans le reportage vous aimez ?
Quelles activités vous pratiquez ?

J'organise une sortie

 **Lisez.**

Camille a lancé une discussion sur Facebook. Lisez la conversation et répondez.

a. Pourquoi Camille écrit un message sur Facebook ?

b. Faites la liste de toutes les activités citées dans ce document.

Proposer

- Ça te dirait...
- Tu pourrais...
- On pourrait...

Messages — Camille, Max, Théo...

Camille
Salut ! On fait quoi samedi prochain ?

Max
Qu'est-ce que tu proposes ?

Camille

Théo
Samedi, j'ai un match de basket. On va jouer la finale contre le lycée Marie Curie. On va gagner j'espère ! Vous voulez venir ? C'est à 15 h.

Axel
Ok pour moi ! Un ciné après ça vous dit ? Le film d'horreur qui va sortir après-demain. Théo, tu vas venir ?

Théo
Après le match je suis dispo !

Camille
Super ! On va manger où ?

Max
Mac Do ou kebab ?

Camille
Fatiha, Jeanne, c'est OK pour vous ?

Fatiha
...

Envoyer

Mon emploi du temps

 **Écrivez.**

Fatiha ne peut pas aller voir le match. Elle va venir seulement après. Écrivez sa réponse dans la conversation Facebook et expliquez pourquoi elle ne va pas au match. Imaginez une raison.

 **Écoutez et écrivez.** 

Jeanne explique à Camille son emploi du temps de samedi. Écoutez et écrivez son emploi du temps. Inspirez-vous du document ci-dessous.

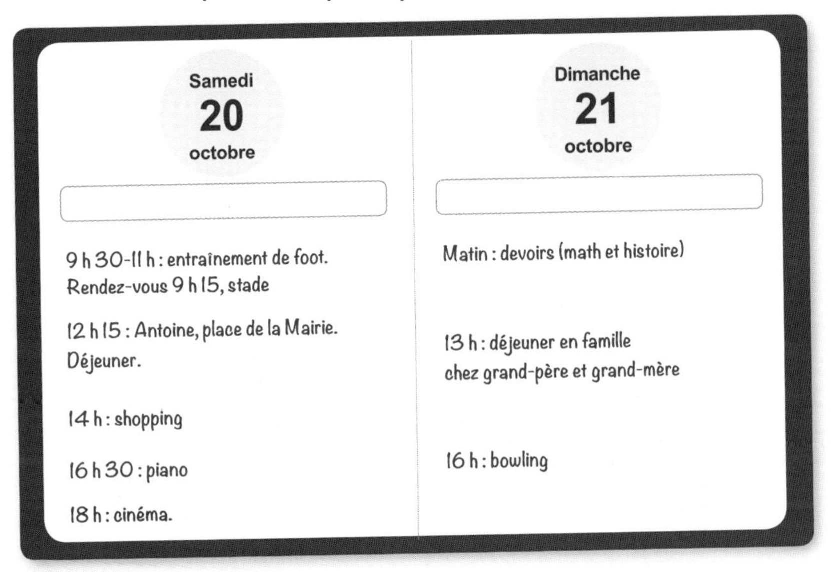

Le futur simple

- *Fatiha arrivera un peu plus tard.*
- *Tu nous rejoindras alors.*

Observez les verbes au futur et trouvez leur infinitif.
Attention, certains verbes sont irréguliers.

Pour indiquer le futur

- Après ≠ Avant
- Ensuite
- Demain
- Après-demain
- Samedi prochain
- Dans une semaine, un mois...

 **Interrogez.** 

Observez l'emploi du temps ci-dessus. Interrogez-vous sur les activités. Pensez à indiquer le futur avec précision.

Projet - Étape 1 : les loisirs 

Chaque groupe a 5 minutes pour trouver le maximum d'activités de loisirs. Notez les activités. Classez les activités en plusieurs catégories (activités sportives, culturelles, artistiques...). Mettez ensuite vos listes en commun. Conservez cette liste pour la suite du projet.

Parlez de toutes les activités : les activités que vous pratiquez au lycée et en dehors du lycée, la semaine, le week-end ou pendant les vacances.
Notez aussi des activités que vous ne pratiquez pas.

2. Pratiquons des activités

Chloé habite en France près de Lyon.
Découvrez sa passion.

Mon loisir, ma passion

 **Regardez la vidéo 6 « L'équitation ».** 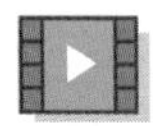

Chloé parle de son loisir préféré, de sa passion. Répondez.

a. Quelle est la passion de Chloé ?
b. À quel âge Chloé a découvert ce loisir ?
c. À quelle fréquence s'entraîne Chloé ?
d. Quel examen a-t-elle passé ?

Qu'est-ce que tu fais ?

 **Écoutez.** 

Jonathan, élève de seconde, réalise un micro-trottoir pour connaître les loisirs des jeunes adolescents du lycée Évariste Galois.

a. Combien de personnes sont interrogées ?
b. Quelle question pose le journaliste ?
c. Associez chaque lycéen à une activité qu'il pratique.

 **Écoutez.** 

Écoutez les réponses de Mathis et répondez.

a. Combien de fois par semaine il va à la salle de musculation ?
b. Quand sort-il avec ses amis ?
c. Qu'est-ce qu'il fait le week-end ?

Exprimer la fréquence

- Toujours ≠ Jamais
- Souvent ≠ Rarement
- Parfois / Quelquefois / De temps en temps

Exprimer la répétition

- Le week-end
- La semaine
- Tous les jours / Le lundi, le mardi, ...
- Pendant les vacances
- ... fois par semaine / par jour...

 **Parlez.**

À votre tour, répondez à la question de Jonathan. Pensez à préciser la fréquence.

En avant la musique !

5 Écoutez. (36)

Kenza, Louka et Valentin parlent de leurs goûts musicaux. Écoutez et relevez les phrases exactes.

a. Valentin aime le reggae et la musique électronique.
b. Louka aime le rock, la variété française et le rap.
c. Kenza écoute en général du rap.
d. Louka aime le rythme et l'entrain des musiques électroniques.
e. Valentin écoute de l'électro pour se reposer.

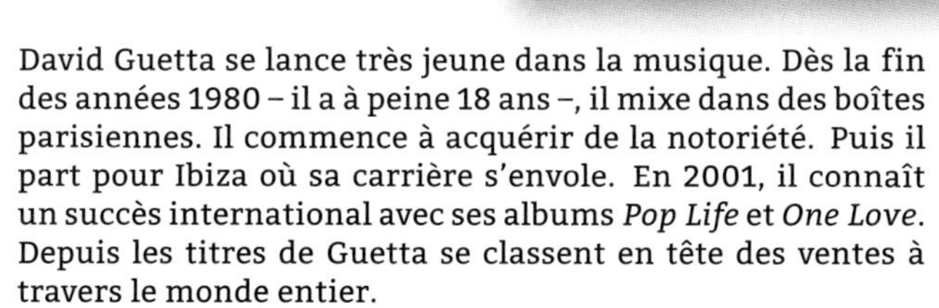

Producteur ? Musicien ? DJ ?

Qui est David Guetta, le Français qui fait danser la terre entière ?

David Guetta se lance très jeune dans la musique. Dès la fin des années 1980 – il a à peine 18 ans –, il mixe dans des boîtes parisiennes. Il commence à acquérir de la notoriété. Puis il part pour Ibiza où sa carrière s'envole. En 2001, il connaît un succès international avec ses albums *Pop Life* et *One Love*. Depuis les titres de Guetta se classent en tête des ventes à travers le monde entier.

Pourquoi la musique de David Guetta a-t-elle autant de succès ? C'est un mélange que tout le monde aime entre le son électro et l'émotion de la mélodie pop chantée par des artistes internationaux. Il y a aussi des morceaux qui sont un mélange entre l'électro et la musique urbaine américaine (le hip-hop, le rap ou le R'n'B).

En 2011, il reçoit le titre de « DJ le plus populaire du monde ». En 2016, il compose l'hymne de l'Euro 2016 de foot qui se déroule en France. « Une expérience inoubliable », confie-t-il. Il a aimé voir tous les supporters danser au rythme de sa musique. Pour lui, l'euro a aussi été l'occasion de montrer que la musique électro a sa place dans notre société. « Quand j'ai commencé, ce n'était pas le cas. », dit-il.

David Guetta a travaillé avec plusieurs artistes internationaux. Sa prochaine collaboration, c'est avec l'américain Usher.

6 Lisez.

David Guetta est un artiste français connu dans le monde entier. Lisez l'article et répondez.

a. Où et quand la carrière de David Guetta a commencé ?
b. Sa musique est un mélange de quels genres musicaux ?
c. Qu'est-ce David Guetta a fait en 2016 ? Que pense-t-il de cette expérience ?
d. Avec quel artiste il va collaborer dans son prochain single ?

> **Les pronoms relatifs « qui », « que », « où »**
>
> - *Il part pour Ibiza **où** sa carrière s'envole.*
> - *C'est un mélange **que** tout le monde aime.*
> - *Il y a aussi des morceaux **qui** sont un mélange.*
>
> Quels mots remplacent les pronoms *qui, que, où* ?

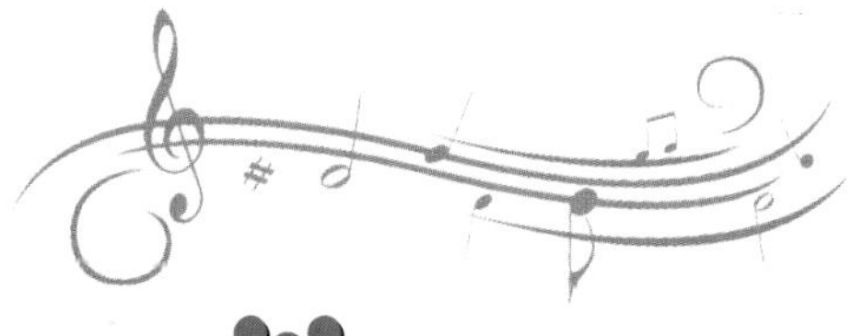

7 Discutez.

Et vous, quel style de musique vous écoutez ? Parlez des styles musicaux et des artistes que vous préférez.

Projet – Étape 2 : l'enquête

Vous voulez connaître les loisirs préférés des élèves de la classe. Vous allez donc réaliser une enquête « Qu'est-ce que vous faites pendant votre temps libre ? ». Chaque groupe prépare 5 questions à choix multiples sur le type d'activités, la fréquence, les raisons, les lieux où sont pratiquées les activités... Chaque membre du groupe répond individuellement au questionnaire de son groupe. Posez ensuite vos questions aux autres groupes. Conservez les réponses pour la suite.

> N'oubliez pas :
> - de proposer plusieurs options pour chaque question (3 minimum) ;
> - de proposer plusieurs types d'activités (sportives, culturelles...) ;
> - de faire attention à la clarté des questions.

3. Analysons les résultats d'une enquête

Choisis ton sport !

Lisez.

**Voici le résultat d'un sondage sur le sport et les adolescents.
Regardez les graphiques et répondez.**

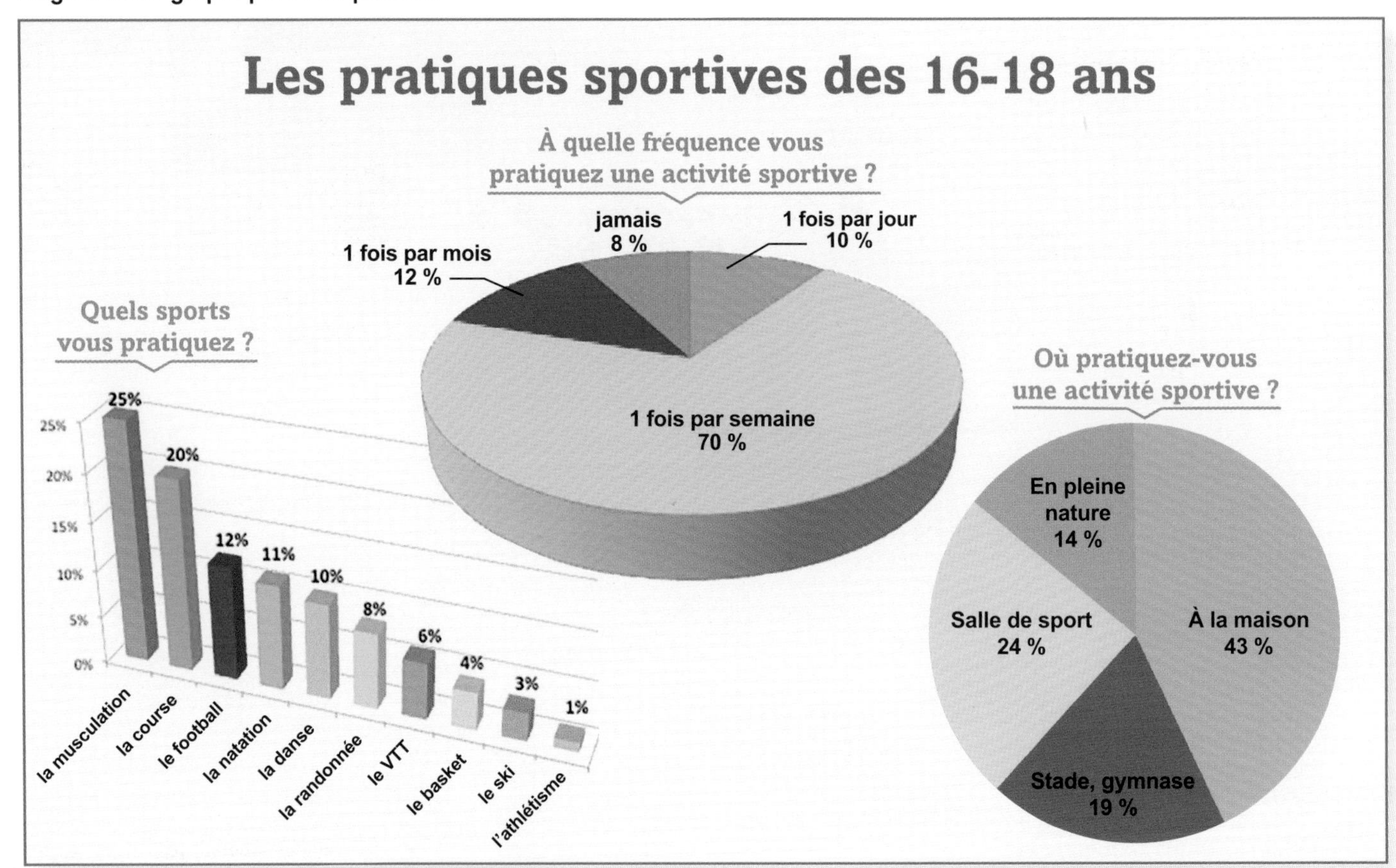

a. Selon le sondage, quel est le sport le plus pratiqué ? Et le moins ?
b. Quel est le pourcentage de jeunes qui ne pratiquent pas de sport ?
c. À quelle fréquence les jeunes pratiquent le plus souvent une activité sportive ?
d. Où les jeunes pratiquent le plus une activité sportive ?

Discutez.

Commentez les résultats de l'étude et comparez avec votre pratique.

Écrivez.

Pour le journal de son école, Ismaël réalise une enquête sur les pratiques sportives pendant le temps libre des élèves. Il envoie un questionnaire à tous les élèves du lycée. Répondez au questionnaire.

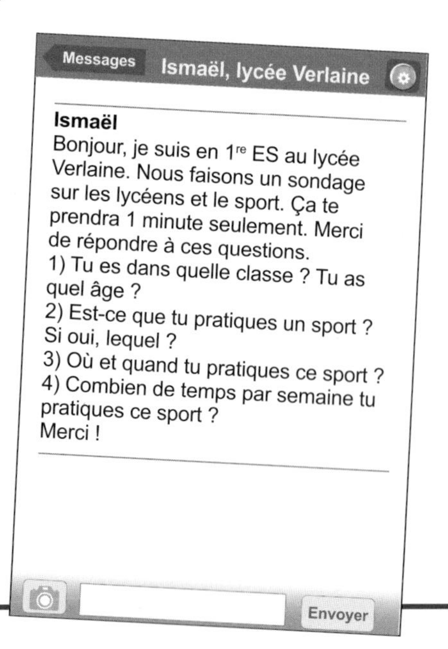

Chacun son loisir

 **Écoutez.** 

Les adolescents ne pratiquent pas seulement des activités sportives. Quelles sont ces autres activités ? Écoutez les résultats et présentez-les sous forme de graphique.

> **Les comparatifs**
>
> • *Les Français aiment plus la télévision que le cinéma.*
> • *Les jeux vidéo sont moins appréciés que les sorties.*
>
> Quelle phrase exprime l'infériorité et quelle phrase exprime la supériorité ?

 **Lisez et observez.**

D'après www.unsimpleclic.com, 21/06/16.

La musique est une des activités préférées des jeunes pendant leur temps libre. Lisez le document et répondez.

a. Citez une chanson très écoutée en 2016 ?
b. Dans quel pays on écoute le plus de musique française ?
c. Quel est l'artiste français le plus écouté en 2016 ?
d. Dans quelle ville on écoute le plus de musique française ?

> **Les superlatifs**
>
> • *Écouter de la musique est l'activité la plus pratiquée.*
> • *Les activités les moins appréciées des adolescents sont…*
>
> Comment se forme le superlatif de supériorité ? D'infériorité ?

Projet – Étape 3 : l'analyse des résultats 

Vous allez analyser les résultats de l'enquête que vous avez réalisée dans la classe à l'étape 2. Par petit groupe, comptez le nombre total de personnes interrogées puis, pour chaque question, comptez les réponses. Vous allez transformer ces résultats en graphique avec le programme Excel. Gardez votre travail pour la suite du projet.

Faire un graphique avec Word et Excel :
- lancez Word ;
- choisissez « Insertion graphique » ;
- choisissez le type de graphique que vous souhaitez réaliser ;
- dans le fichier Excel qui s'est ouvert, dans la première colonne, écrivez le nom des activités ;
- dans la deuxième colonne, écrivez les résultats trouvés pour chaque activité ;
- retournez sur le fichier Word avec le graphique : il est réalisé.

4. Découvrons des activités originales

Le manga café : un concept venu tout droit du Japon. Aujourd'hui, il en existe un peu partout à travers le monde. Les mangas cafés séduisent tout particulièrement les adolescents.

Bienvenue au manga café

 **Regardez la vidéo 7 « Le café manga ».** 

Partons à la découverte d'un lieu original. Répondez.

a. Qu'est-ce qu'on peut faire dans un manga café ?
b. Que signifie « manga » ?
c. Dans quels pays on lit le plus de manga ?
d. En Europe, qui sont les plus grands lecteurs de manga ?

  **Parlez.**

Vous expliquez ce qu'est un manga café à votre grand-père ou à votre grand-mère. Il/Elle vous pose des questions.

 **Discutez.** 

Est-ce que vous appréciez les mangas ? Pourquoi ? Qu'est-ce que vous pensez des mangas cafés. Donnez votre avis et débattez.

Je fais des graffs

 **Lisez et écoutez.** 

Lisez la présentation du projet de la ville d'Escalquens et écoutez les commentaires.

Tout le mobilier urbain peut être repeint.

Embellir la ville

Escalquens la ville où les transformateurs électriques sont des œuvres d'art. Les artistes sont des jeunes de la commune qui occupent leurs vacances. La municipalité de cette ville du sud de la France a proposé aux jeunes de décorer les transformateurs électriques de la ville. À l'origine du projet, des détériorations du mobilier urbain et des graffitis sauvages. L'idée est donc venue de relooker les bornes de la ville. Pendant une semaine, une équipe de jeunes de la ville est au travail sous la direction technique d'un graffeur, Jae.

a. Quel est le projet de la ville d'Escalquens ? Pourquoi ?
b. Qui va y participer ?
c. Quels sont les commentaires des jeunes ?
d. Selon le graffeur Jae, qu'est-ce qui est intéressant ?
e. Que pense l'habitante ?

Lisez.

Au Québec, un restaurant a pris une initiative originale. Découvrez cette initiative et répondez.

a. Où se trouve le restaurant *Shack Attakk* ?
b. Qu'est-ce qu'il propose aux adolescents ?
c. Comment sont considérés les graffs aujourd'hui ?

Le restaurant *Shack Attakk* se donne pour mission de divertir les ados, une clientèle souvent mal vue dans certains commerces. À partir de l'été prochain, les adolescents pourront participer à décorer l'espace du restaurant. Les propriétaires souhaitent que les jeunes s'occupent et trouvent des passions. Ils veulent proposer un lieu où ils pourront faire des graffs en toute légalité. Ils ne dérangeront personne avec leurs dessins. D'ailleurs aujourd'hui, les gens n'ont plus la même vision de cette pratique.

« Il y a des super murs de graffitis à Montréal, pourquoi pas ici ? » explique Olivier Cardinal, un des copropriétaires. Ce jeune homme de 32 ans n'est jamais à court d'idées. Il souhaite également installer une rampe de skate devant son établissement.

D'après Magalie Lapointe, www.journaldemontreal.com, 03/02/2017.

La négation

- *Ils ne dérangeront personne.*
- *Les gens n'ont plus la même vision.*
- *Il n'est jamais à court d'idées.*

Mettez ces phrases à la forme affirmative.
Que remarquez-vous ?

Écrivez.

Rédigez un court article sur les graffeurs et la pratique légale de cette activité. Utilisez le contenu des deux documents de la double page et vos connaissances personnelles.

PROJET

Réalisons une enquête sur les loisirs

Quels sont les loisirs de vos camarades ? Vous réalisez une enquête et vous présentez les résultats dans un article informatif.

- Reprenez votre travail des étapes 1, 2 et 3 et finalisez votre projet. Vous pouvez ajouter un petit développement sur une activité originale.
- Rédigez votre article. Même s'il s'agit d'un texte court, réfléchissez au plan de votre texte avant de commencer sa rédaction. Soignez la grammaire et l'orthographe.
- Passez à la mise en page. Vous pouvez intégrer les graphiques à l'intérieur de l'article, les mettre à la fin de l'article… Mettez bien en valeur les éléments les plus importants. Ne vous contentez pas de décrire les résultats obtenus. Faites une analyse, par exemple avec des comparaisons.
- Donnez un titre à votre article.
- Publiez votre article sur le site Internet de la classe.

Grammaire

Le futur simple

▶ Observez

 **Lisez.**

La MJC a publié le programme des activités pour les vacances de printemps.

MJC

Programme vacances de printemps

· **Activité cirque**
Vous découvrirez les différentes disciplines du cirque. Vous pratiquerez le jonglage et l'acrobatie. Vous apprendrez aussi le monocycle. Vous participerez au spectacle qui terminera le stage. Les inscriptions ouvriront le 5 avril.

· **Activité musique**
Les participants apprendront à jouer des percussions avec la compagnie Frappovitch. Vous pourrez essayer la batterie, le tam-tam ou le tambourin. Vous choisirez cette activité pour son originalité. Informations et inscriptions à la MJC.

· **Activité hip-hop**
Le chorégraphe Mourad Merzouki viendra animer ce stage. Vous danserez sur les tubes du moment. Vous ferez des *battles* de danse entre vous. Les inscriptions seront ouvertes le 10 avril.

 **Répondez.**

a. Quand auront lieu les activités proposées ?
b. Quand ouvriront les inscriptions pour le cirque?
c. Qu'est-ce qu'on pourra faire à l'activité hip-hop ?

 **Écrivez.**

Cherchez dans le texte les formes au futur des verbes suivants. Complétez le tableau.

INFINITIF	FUTUR
apprendre	
choisir	
commencer	
danser	
découvrir	*vous découvrirez*
essayer	
ouvrir	
participer	
pouvoir	
pratiquer	
terminer	

▶ Le futur simple

Il est utile pour raconter un événement qui va se produire dans le futur (*après, ensuite, demain, la semaine prochaine, dans un mois...*)

Le futur simple se forme avec l'infinitif du verbe + les terminaisons suivantes :
-ai ; -as ; -a ; -ons ; -ez ; -ont

Complétez la liste.
parler → je parlerai ; finir → tu finiras ; pratiquer → il ... ; choisir → nous... ; regarder → vous regarderez ; ouvrir → elles ...

▶ Cas particuliers

• Les verbes dont l'infinitif se termine en « e ».
On supprime le « e » final pour former le futur.
apprendre → j'apprendrai ; mettre → je ... ; lire → je ...

• Les verbes irréguliers
être → je serai ; avoir → j'aurai ; aller → j'irai ; voir → je verrai ; devoir → je devrai ; vouloir → je voudrai ; savoir → je saurai ; faire → je ferai ; tenir → je tiendrai...

Relisez le document puis cherchez les formes au futur des verbes suivants :
pouvoir → vous .... ; venir → il ...

▶ Appliquez

 **Conjuguez.**

Complétez les textes avec les verbes proposés. Conjuguez les verbes au futur simple.

a. C'est les vacances !
pratiquer – jouer – faire – participera – être – pouvoir
La semaine prochaine, nous ... en vacances. Nous ... tous des activités. Par exemple, Paul ... l'équitation, Anne ... du basket, Emma ... au tournoi du tennis. Moi, je ... jouer du piano toute la journée !

b. Exceptionnel !
ouvrir – sortir – pouvoir – falloir – être – avoir (2 x)
La semaine prochaine, le groupe *Planète* ... un nouvel album. Ce ... un véritable évènement. Le lancement ... lieu à minuit. Vous ... alors acheter l'album en ligne. Certaines boutiques ... pour l'occasion. Attention, il y ... du monde ! Il ... être patient !

Les comparatifs

▶ Observez

Les comparatifs

- Devant un adjectif, pour comparer, on utilise : *plus* (+) ; *aussi* (=) ; *moins* (–).
  Le cirque est plus/aussi/moins difficile que le hip-hop.
- Devant un nom, pour comparer, on utilise : *plus/plus de... que* (+), *autant/autant de... que* (=), *moins/moins de... que* (–).
  Il y a plus/autant/moins de place pour l'activité cirque que pour l'activité musique.
- Certains comparatifs sont irréguliers.
  bon → meilleur ; bien → mieux ;
  mal → pire ;
  mauvais → pire

Les pronoms relatifs

▶ Observez

Les pronoms relatifs « qui », « que », « où »

On utilise les pronoms relatifs pour unir deux phrases et éviter les répétitions.

- *Qui* remplace un sujet.
  Le film qui sort demain est un film d'horreur.
- *Que* remplace un complément d'objet direct (COD).
  Le football est l'activité que je préfère.
- *Où* remplace un complément de temps ou de lieu.
  Le lieu où je m'entraîne est près de chez moi.

La négation

▶ Observez

La négation

- Pour former une phrase négative, on utilise généralement *ne... pas*.
  Je ne pratique pas d'activités.
- Il existe d'autres possibilités pour indiquer la négation.

Je ne vais jamais au cinéma.	(≠ toujours)
Nous ne connaissons personne.	(≠ tout le monde, quelqu'un)
Ils ne vont plus au bowling.	(≠ encore)
Il ne fait rien.	(≠ quelque chose)

▶ Appliquez

5 Comparez.

Comparez les deux activités suivantes. Faites 5 phrases.

Football
Nombre de joueurs par équipe : 11
Nombre de manches : 2
Durée d'un match : 90 min
Difficulté : ★★★
Prix : 30-50 €

Foot bulle
Nombre de joueurs par équipe : 5
Nombre de manches : 2
Durée d'un match : 10 minutes
Difficulté : ★★★★★
Prix : 30-50 €

▶ Appliquez

6 Complétez.

Complétez avec les bons pronoms relatifs et trouvez de quelle activité il s'agit.

bowling – tennis – shopping

a. C'est un sport ... l'on pratique à deux, ... est très physique, ... se joue avec une raquette. Le terrain ... on pratique ce sport est dehors ou à l'intérieur. C'est le ... .

b. C'est une activité ... les jeunes apprécient. Il faut faire tomber les quilles ... sont au bout d'une piste. Le lieu ... on pratique cette activité est à l'intérieur. C'est le ... .

c. C'est une activité ... n'est pas sportive et ... coûte cher ! Le centre commercial est un lieu ... on peut pratiquer cette activité ! C'est le ... .

7 Écrivez

Mettez les phrases à la forme négative. Utilisez les négations suivantes :

ne... jamais – ne... personne – ne... plus – ne... rien.

a. Je pratique toujours le basket le week-end.
b. Il va encore à la bibliothèque après les cours.
c. David Guetta plaît à tout le monde.
d. Nous allons toujours au cinéma le soir.
e. Il y a encore des places pour le concert.

Phonétique

Les sons [ʃ] et [ʒ]

 **Écoutez et observez.** 

Vous entendez combien de fois les sons [ʃ] et [ʒ] ?
Je cherche un jeu intéressant à faire jeudi soir.

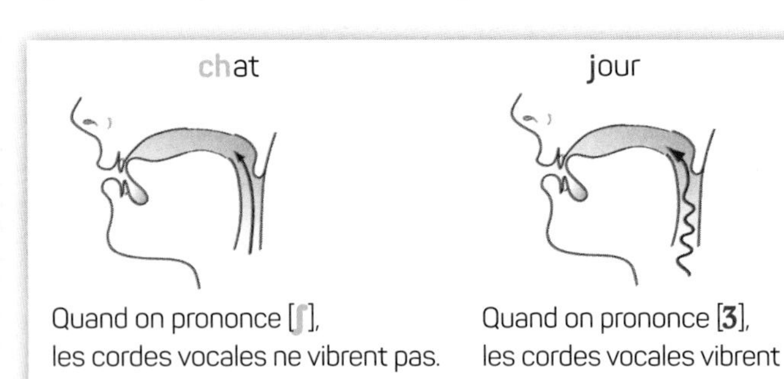

Quand on prononce [ʃ], les cordes vocales ne vibrent pas.	Quand on prononce [ʒ], les cordes vocales vibrent

▶ Pour les deux sons, la langue est à la même place.

 **Écoutez.** 

Pour chaque mot, quel son entendez-vous ?

	[ʃ]	[ʒ]
a.		
b.		
...		

 **Écoutez.** 

Quels groupes de mots entendez-vous ?

1	2
a. chant / gens	gens / chant
b. franche / frange	frange / franche
c. cache / cage	cage / cache
d. des chats / déjà	déjà / des chats

 **Lisez et écoutez.** 

Lisez le texte et repérez les sons [ʃ] et [ʒ]. Comparez avec votre voisin(e). Écoutez l'enregistrement pour vérifier.

Je suis Jean-Charles et j'habite au Japon. Je cherche un jeu traditionnel pas trop cher et très original. Vous pouvez m'aider ?

 **Écoutez et écrivez.** 

Écoutez et écrivez les mots dans la bonne case.

	[ʃ]	[ʒ]
a.		
b.		
...		

 **Écoutez et lisez.**  

Écoutez puis, par deux, lisez les phrases suivantes. Essayez de les lire de plus en plus vite.

a. J'aimerais apprendre à chanter juste.
b. Ma sœur fait du cheval chaque jeudi soir.
c. Jacques et Charles jouent à chat perché.
d. Je joue aux échecs avec Jean et Charleine.

 **Écoutez et écrivez.** 

Écrivez les phrases puis soulignez le son [ʃ] en bleu et le son [ʒ] en rouge.

 **Parlez.** 

Vous avez une minute pour trouver le plus de mots qui commencent par le son [ʃ]. Vous avez de nouveau une minute pour trouver des mots qui commencent par le son [ʒ]. Mettez vos réponses en commun.

Utilisons les outils de la langue

 **Écrivez.** 

Choisissez un nuage et complétez ce nuage avec le plus de sports possibles.
Mettez en commun au tableau toutes les informations.

 **Écrivez.**

a. Complétez les interventions de Kendra, Flora et Brice avec les activités proposées.

aller au cinéma – faire de la peinture – faire une promenade – aller à un festival – faire du shopping – aller au skate-park – voir un match de foot

b. Comme Kendra, Flora et Brice, racontez votre dernier week-end sur le forum.

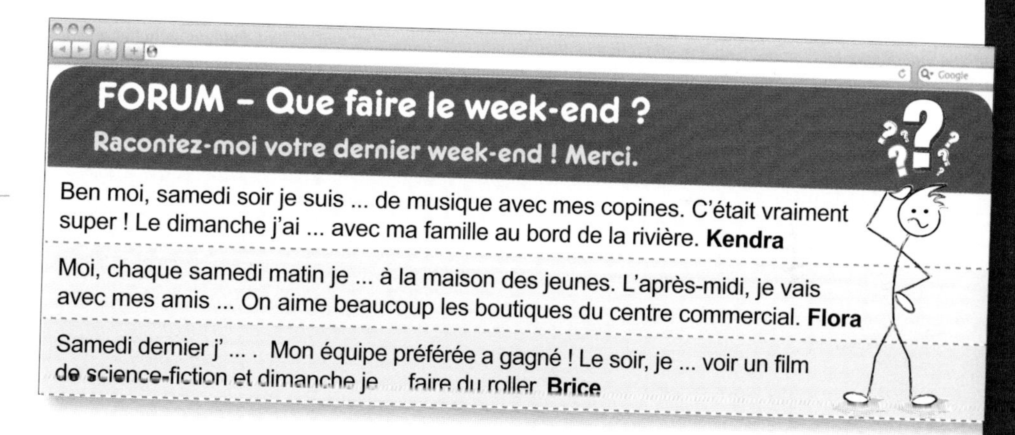

FORUM – Que faire le week-end ?
Racontez-moi votre dernier week-end ! Merci.

Ben moi, samedi soir je suis ... de musique avec mes copines. C'était vraiment super ! Le dimanche j'ai ... avec ma famille au bord de la rivière. **Kendra**

Moi, chaque samedi matin je ... à la maison des jeunes. L'après-midi, je vais avec mes amis ... On aime beaucoup les boutiques du centre commercial. **Flora**

Samedi dernier j' ... . Mon équipe préférée a gagné ! Le soir, je ... voir un film de science-fiction et dimanche je ... faire du roller. **Brice**

 **Parlez.** 

Répondez à l'enquête. Puis comparez vos réponses avec votre voisin(e).
Vous pratiquez ces activités : 1. toujours – 2. parfois – 3. rarement – 4. jamais

a. Pendant la semaine, vous faites du sport ?
b. Le week-end, vous allez au théâtre ?
c. Le mercredi après-midi, vous allez au cinéma avec vos amis ?
d. Pendant l'été, vous faites des activités en famille ?

 **Écrivez.**

Transformez les phrases suivantes en utilisant les expressions proposées.

une fois par semaine – tous les jours – tous les weekends – tous les ans – en semaine

a. Tous les mercredis, Célia va à la piscine de 15 h à 17 h.
b. L'été, nous partons avec mes parents à la montagne pour faire de la randonnée.
c. Du lundi au dimanche, je fais du dessin pendant mon temps libre.
d. Du lundi au samedi, Antoine va au lycée.
e. Le samedi et le dimanche, elle retrouve ses amis au centre commercial.

Unité 4

Faisons le point

Un(e) de vos ami(e)s vient pour le week-end. Vous voulez organisez une sortie originale. Vous choisissez une activité dans la brochure ci-dessous. Tenez compte de l'emploi du temps de votre ami(e) et de ses goûts ! Écrivez un mail à votre ami(e). Vous lui présentez l'activité choisie, vous lui indiquez l'horaire, la durée, le lieu… Utilisez le futur.

Votre ami(e)…
- **préfère les activités en groupe ;**
- **aime les activités originales ;**
- **a déjà un emploi du temps chargé.**

Samedi 11 h : arrivée
Samedi 15 h-16 h : shopping avec Rosalie
Samedi 20 h 30 : spectacle de Kev Adams
Dimanche 13 h : déjeuner chez mes grands-parents
Dimanche 17 h 30 : départ

PÉDALO

Tout l'été, venez prendre le soleil et naviguer entre amis sur les étangs ! De 2 à 4 personnes. Pour louer un pédalo, il faut avoir 16 ans minimum.
Difficulté : ★
Prix : 20 € l'heure le pédalo.
Horaire : samedi 14 h-18 h ; dimanche 11 h-17 h 30

FLYBOARD

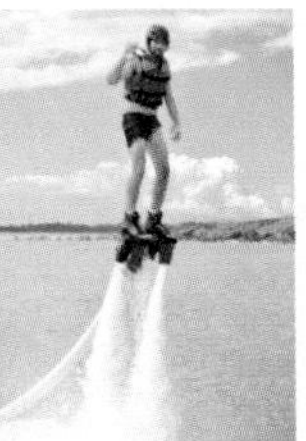

Envie de sensations fortes ? Le Flyboard permet de voler sur l'eau ! Vous pourrez vous envoler à plusieurs mètres et réaliser des figures incroyables au-dessus de l'eau. Réservez à l'avance.
Difficulté : ★★★★★
Prix : 75 € les 20 minutes.
Horaire : tous les jours, 10 h-17 h

SALON DU MANGA

Venez rencontrer vos auteurs préférés. Participez au concours de Cosplay. Découvrez les nombreuses animations et les espaces de jeux vidéo.
Difficulté : ★
Prix : 14 € le pass 1 jour.
Horaire : samedi-dimanche, 9 h 30-19 h 30

PROMENADE ÉQUESTRE

Pour tous niveaux et en toute sécurité, le haras du Pin propose des promenades à cheval. Venez découvrir les bords de mer à cheval entre amis ou en famille.
Durée : de 1 h 30 à 3 h.
Difficulté : ★★
Prix : de 20 à 50 €, selon la durée.
Horaire : week-end de 11 à 16 h 30. Départ toutes les deux heures. Dernier départ, 16 h 30.

LIVE ESCAPE GAME

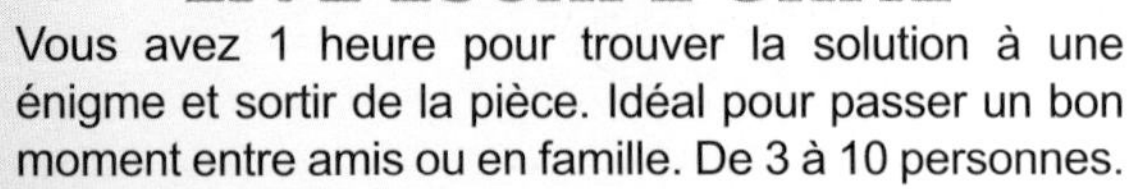

Vous avez 1 heure pour trouver la solution à une énigme et sortir de la pièce. Idéal pour passer un bon moment entre amis ou en famille. De 3 à 10 personnes.
Difficulté : ★★★
Prix : 24 € par personne
Horaire : mardi-dimanche, 11 h-22 h

Unité 5

PROFESSION : REPORTER

Projet

Faisons un reportage !

Un journal en ligne

Nous réalisons un reportage et nous le publions sur le blog de la classe. Nous choisissons un thème pour notre reportage, nous cherchons des informations, nous trouvons des témoignages. Nous analysons et nous synthétisons les informations.

Nous allons :

- découvrir des reportages .... p. 64-65
- nous informer .... p. 66-67
- écouter des témoignages .... p. 68-69
- raconter un fait divers .... p. 70-71
- utiliser les outils de la langue .... p. 72-75
- faire le point .... p. 76

1. Découvrons des reportages

En 2017, Thomas Pesquet, un spationaute Français, a passé huit mois dans l'espace dans la Station spatiale européenne. Découvrons sa vie quotidienne.

Autour de la Terre

 **Regardez la vidéo 8 « Bienvenue à bord ».** 

a. Regardez la vidéo sans le son. Mettez les phrases dans l'ordre.

a. Thomas Pesquet joue du saxophone.
b. Les astronautes font des expériences scientifiques.
c. Thomas Pesquet photographie la Terre.
d. Les astronautes travaillent dans l'espace.
e. Thomas Pesquet atterrit sur Terre.

b. Regardez la vidéo avec le son et répondez.

a. Quelles sont les professions de Thomas Pesquet ?
b. Combien de temps a duré son séjour dans l'espace ?
c. Combien de temps a duré son voyage de retour ?

 **Regardez et lisez.**

Trouvez les légendes des photos parmi les phrases de l'activité 1.

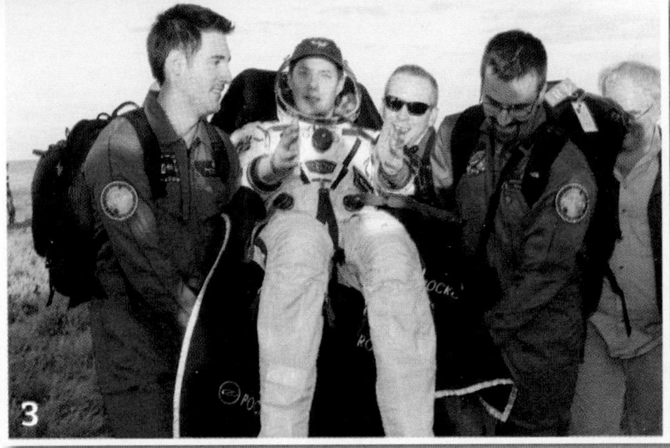
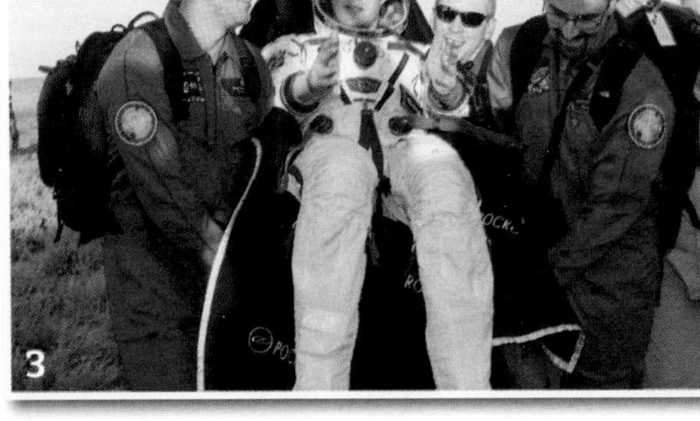

 **Écrivez.**

Thomas Pesquet écrit un message à sa famille. Il décrit ses journées dans l'espace et ses différentes activités. Écrivez son message en vous aidant de la vidéo.

 **Discutez.** 

Aimeriez-vous vivre dans l'espace ? Justifiez votre réponse.

Catastrophe

Lisez.

Thomas Pesquet a photographié la Terre depuis l'espace. Il a montré des paysages impressionnants mais aussi des catastrophes naturelles. Lisez le texte et répondez.

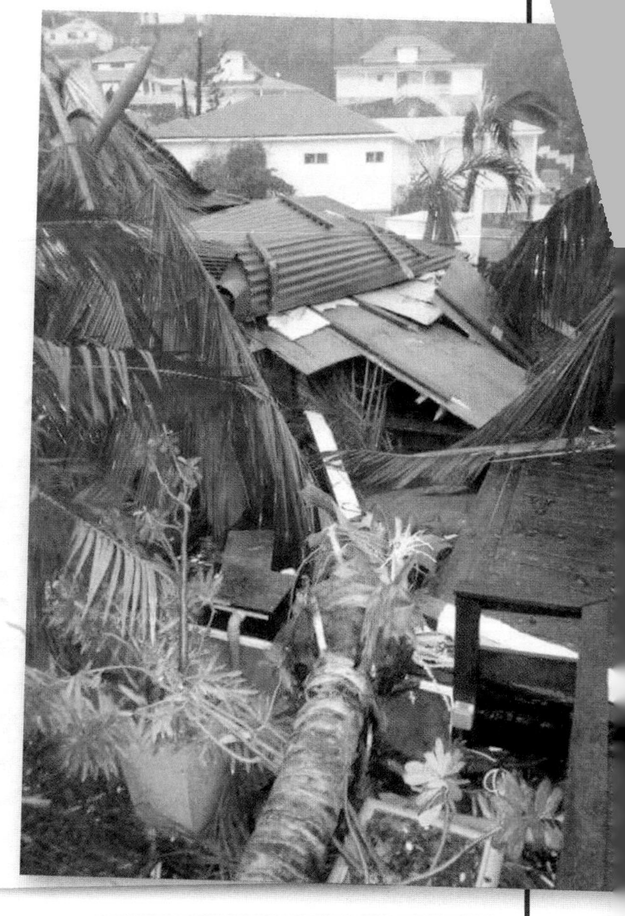

L'île de Saint-Martin dévastée par le cyclone Irma

Le 30 août 2017, la tempête tropicale se transforme en ouragan dans l'océan Atlantique et se dirige droit sur les Caraïbes et la petite île française de Saint-Martin.
Le mardi 5 septembre, le cyclone Irma qui a gagné en puissance touchait l'île de Saint-Martin avec des vents violents qui allaient jusqu'à 300 km/h et des pluies intenses. On a enregistré des vagues qui mesuraient plus de 5 mètres de hauteur. Quelques heures plus tard, la petite île française ne ressemblait plus à la carte postale de vacances. On ne comptait plus les maisons détruites et les inondations. De nombreux habitants quittaient l'île pour se mettre en sécurité. Mercredi 6 septembre au soir, les autorités ne pouvaient pas encore déterminer les conséquences exactes de la catastrophe. Mais nous savons aujourd'hui que l'île a été dévastée à 95 %. Un bilan encore très provisoire faisait état de milliers de sinistrés et d'au moins quatre morts à Saint-Martin. L'ouragan Irma a été si violent qu'il a même été vu depuis la station spatiale internationale. C'est le cyclone le plus puissant depuis Allen en 1980 qui a touché les Caraïbes.

D'après www.leparisien.fr, 07/09/2017.

a. L'ouragan a dévasté quelle île ?
b. Quelles sont les principales conséquences de la catastrophe ?
c. Depuis quel endroit le cyclone a-t-il pu être observé ?

Une catastrophe naturelle

- Une tempête
- Un cyclone
- Une inondation
- Une pluie intense
- Un vent violent
- Un(e) sinistré(e)
- Être détruit(e)
- Dévaster

Écoutez.

Fara, jeune habitante de Saint-Martin, a vécu le cyclone. Elle raconte. Quelles informations supplémentaires donne son témoignage ?

L'imparfait

- *Des vents violents qui allaient jusqu'à 300 km/h.*
- *On ne comptait plus les maisons détruites.*

Relevez les verbes à l'imparfait dans l'article. Donnez leur infinitif.

La crainte

- La peur
- L'angoisse
- Terrible
- Être terrifié(e)
- Être inquiet/inquiète

Parlez.

Vous avez été victime d'une catastrophe naturelle. Vous téléphonez à un(e) ami(e) et vous racontez votre expérience. Exprimez vos sentiments. Utilisez l'imparfait.

Projet – Étape 1 : Choix du thème et situation initiale

Par petit groupe, choisissez le thème de votre reportage. Optez plutôt pour un thème d'actualité. Écrivez une courte description de la situation initiale. Répondez aux questions : qui ? où ? quand ? Expliquez à la classe pourquoi vous avez choisi ce thème, lisez votre présentation. Conservez votre travail pour la suite.

Conseils !
- Justifiez le choix de votre thème.
- Indiquez à quel moment se passe la situation initiale du reportage.
- Situez et présentez les lieux importants.
- Présentez les personnes principales.

2. Informons-nous !

S'informer aujourd'hui

 **Lisez.**

Comment s'informent les jeunes aujourd'hui ? Répondez.

Le web, première source d'information des jeunes québécois

Il y a un an, la télévision était encore le moyen le plus utilisé pour s'informer. En quelques années, les choses ont changé ! Depuis deux ans, on constate que les jeunes québécois s'informent sur Internet. Ils suivent l'actualité surtout sur les réseaux sociaux. Facebook, YouTube et Twitter sont donc devenus leurs principales sources d'informations. Pourquoi ? Tout d'abord, ils apprécient l'information en temps réel et ce n'est pas toujours possible avec les médias traditionnels. Ensuite, ils trouvent sur les réseaux sociaux tous les types d'information : des actualités bien sûr mais aussi des résultats sportifs, les prochains évènements culturels ou encore la météo. Toutes les informations sont accessibles au même endroit. C'est pratique ! Enfin, les jeunes regardent aussi la télévision pour s'informer mais ils ne veulent pas un horaire imposé. Alors ils regardent la télévision sur Internet. Les jeunes d'hier s'informaient dans les journaux ou à la radio, ceux d'aujourd'hui s'informent sur les réseaux sociaux, mais où s'informeront les ados de demain ?

D'après Roxanne Ocampo, La Presse canadienne, *www.journalmetro.com, 02/06/2017.*

a. Où les jeunes québécois suivent-ils l'actualité aujourd'hui ? Et avant ?
b. Quel est le problème des médias traditionnels pour les jeunes ?
c. Pourquoi les jeunes regardent la télévision sur Internet ?

Organiser son récit

- Youtube et Twitter sont **donc** devenus...
- **Tout d'abord**, ils apprécient...
- **Ensuite**, ils trouvent...
- **Enfin**, les jeunes regardent...
- **Alors** ils regardent...

Les indicateurs de temps

Relevez les expressions de temps dans l'article.
Dites si elles indiquent :
– la fin d'une action dans le passé ;
– le début d'une action passée qui continue dans le présent ;
– le temps nécessaire pour accomplir une action.

S'informer

- La télévision (la télé)
- Les réseaux sociaux
- Le journal (les journaux)
- La radio
- Le journal télévisé
- Une information
- L'actualité internationale, politique, culturelle...
- La politique
- Le sport
- Un fait divers

 **Écoutez.** 47

Quatre jeunes expliquent comment ils s'informent. Complétez le tableau.

	Combien de temps ?	Comment ?	Thèmes préférés
Fabien	Entre 1 et 2 heures		
...			

 **Discutez, comparez.** 

Comparez vos habitudes. Combien de temps vous passez à vous informer ? Quel s sont les thèmes que vous préférez ? Pourquoi ?

Reporters en herbe

 **Lisez.**

a. Lisez ci-contre la présentation du magazine *Twenty*. Répondez.
a. À qui s'adresse ce magazine ?
b. Qui compose l'équipe éditoriale du magazine ?

b. Maintenant lisez l'article et associez chaque proposition à un passage du texte.
a. Stéphanie est envoyée spéciale.
b. Elle surveille une zone de baignade au mois de juillet.
c. Elle travaille sept heures par jour.
d. Il n'y a personne à sauver.

Twenty, c'est le média communautaire des 16/25ans qui ont de l'énergie, des idées et l'envie de faire.
Ici on montre le travail et le talent des 16/25 ans, leurs préoccupations, leurs voix, leurs gestes, leurs points de vue.
C'est un MAGAZINE ONLINE fait par et pour eux.
Twenty, c'est la relève, c'est l'avenir.

Stéphanie, notre envoyée spéciale sur le front balnéaire, est durant tout l'été chargée de surveiller une zone de baignade. Voici la première chronique autobiographique de son quotidien de Pamela Anderson de la côte basque.

Quand j'ai dit à mon rédacteur en chef que je partais deux mois dans le sud-ouest surveiller une plage, il m'a aussitôt proposé d'écrire une chronique sur la (vraie) vie d'une maître-nageuse en saison.
Tout d'abord, une brève mise en contexte : mon job consiste à passer 35 heures par semaine à surveiller une zone de baignade sur un plan d'eau de type lac (donc c'est assez calme). Nous sommes trois au poste du Lac (Julien, Eva et moi), et les 34 autres MNS (pour Maître nageur sauveteur) se partagent les 4 plages à l'océan. La majorité d'entre nous est logé au camping près du lac et se partage entre les biens équipés (caravanes) et ceux qui auront une scoliose à la fin de l'été (moi et ma tente). Les autres, qui ont plusieurs saisons derrière eux et qui ont entre 23 et 30 ans, se partagent les appartements près de la plage.
Ma journée de taff* commence à midi et fini à 19 heures après avoir rangé le poste de surveillance. [...] Au talkie-walkie, on entend les autres postes à l'océan donner des ordres à l'interphone pour appeler les secours lorsqu'il y a une intervention, c'est-à-dire un malaise, une blessure, une noyade. [...] Pendant ce temps, nous, au lac, on attend désespérément de sauver quelqu'un.

* travail

www.twentymagazine.fr, Mélanie Tillement, 16/07/2017.

Rédacteur en chef à 16 ans

 **Écoutez.** 

Guillaume Benech a 16 ans et il est à la tête d'une maison d'édition. Écoutez son interview et choisissez les phrases exactes.
a. Guillaume Benech est en classe de seconde.
b. Il a créé un magazine culturel gratuit et écrit par des ados.
c. Il n'aime pas les concours.
d. Il souhaite distribuer son magazine en Europe.

 **Répondez.** 

Connaissez-vous d'autres médias faits par des ados ? Cherchez des informations et présentez vos résultats.

5 **Écrivez.**

Inventez la suite de l'article de Stéphanie. Vous pouvez parler de ses différentes tâches, de ses rencontres...

Projet – Étape 2 : des informations 

Cherchez dans les principaux médias des informations en relation avec le thème de votre reportage. Qu'est-ce qu'il se passe ? Pourquoi ? Comment ? Répondez à ces questions avec les éléments que vous trouvez. Présentez à la classe vos résultats et gardez votre travail.

3. Témoignons

Chaque année, le concours Lépine réunit des inventeurs et récompense des inventions originales, utiles et astucieuses.

On invente

 **Écoutez la vidéo 9 « Le concours Lépine ».** 

Découvrez les inventions 2017 du concours Lépine.
Écoutez le témoignage de leurs créateurs.

a. Combien d'inventions sont présentées dans le reportage ?
b. Citez trois inventions présentées.
c. Qui a remporté le premier prix ?

 **Présentez.**

Présentez l'invention que vous préférez. Expliquez pourquoi.

Inventer

- Un concours
- Une invention
- Un inventeur / Une inventrice
- Être à l'honneur
- Un prix (le premier prix, le deuxième...)
- Une mention spéciale
- Un succès
- Une reconnaissance
- Une innovation
- Un prototype
- Breveter
- Développer

 **Lisez.**

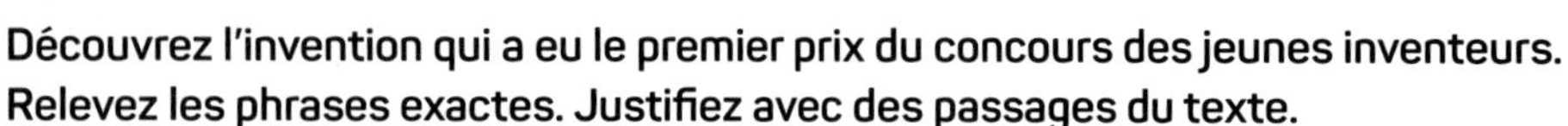

Découvrez l'invention qui a eu le premier prix du concours des jeunes inventeurs.
Relevez les phrases exactes. Justifiez avec des passages du texte.

L'antivol de vélo sans contact

Depuis toujours Benoît Thomas aime fabriquer, créer, concevoir des objets avec son frère. À 12 ans, il crée avec lui une casquette à panneau solaire pour faire fonctionner... un lecteur MP3 !
Quelques années plus tard – il a 16 ans – il fait du vélo et il a une idée. Il nous explique : « Je voulais un système plus simple et plus rapide pour protéger mon vélo. » Il commence à travailler sur l'idée d'un antivol de vélo innovant. Benoît apprend seul. Il se renseigne et décide d'utiliser l'impression 3D. Il se rend dans un fablab. Là, il utilise gratuitement une imprimante 3D. Après des heures de travail, il obtient un résultat satisfaisant. Le principe de son antivol repose sur l'utilisation d'un lecteur de cartes à puce comme d'une clé. On retire la carte, une glissière coulisse et bloque la roue arrière. On remet la carte et cela débloque la roue. Benoît a même installé une alarme : si on déplace le vélo, elle se déclenche automatiquement.

D'après Juliette Boulegon, letudiant.fr, 08/08/2017.

a. L'antivol sans contact est une invention française.
b. Pour verrouiller le vélo on utilise une clé.
c. En cas de vol, un sms est envoyé au propriétaire.
d. La modélisation des pièces a pris beaucoup de temps.
e. Benoît a réalisé sa première invention à 12 ans.
f. Sa première invention était un lecteur MP3 solaire.

Les pronoms COI

- *Il a créé avec **lui** une casquette.*
- *Il **nous** explique.*

Que remplacent les mots en gras ?
Quelle est leur fonction ?

On participe ?

  **Écoutez.** 

Quentin, Mehdi et Fred souhaitent participer au concours Science Factor.
Écoutez leur conversation. Que faut-il faire pour participer au concours. Expliquez.

Le discours rapporté

- *Ils disent que les inscriptions sont ouvertes.*
- *On peut demander à Anaïs si elle veut participer.*

Comment les paroles sont-elles rapportées ?

Je m'engage

5 Lisez.

Découvrez le Service Civique et répondez.

SERVICE CIVIQUE
Une mission pour chacun au service de tous

Faites le saut !

Un engagement volontaire

Le Service Civique est un engagement volontaire ouvert à tous les jeunes de 16 à 25 ans, sans condition de diplôme. [...] Seuls comptent les savoirs-être et la motivation.

Indemnisé

Le Service Civique, indemnisé 580 euros net par mois, peut être effectué auprès d'associations ou d'établissements publics sur une période de 6 à 12 mois en France ou à l'étranger, pour une mission d'au moins 24 h par semaine.

Dans 9 domaines d'intervention

Il peut être effectué dans 9 grands domaines : culture et loisirs, développement international et action humanitaire, éducation pour tous, environnement, intervention d'urgence en cas de crise, mémoire et citoyenneté, santé, solidarité, sport.

D'après www.service-civique.gouv.fr

a. Quelles sont les conditions pour effectuer un service civique ?
b. Combien de temps peut durer un service civique ?
c. Où peut-on effectuer un service civique ?
d. Dans quels domaines on peut effectuer le service civique ?

6 Écoutez.

Ada raconte son expérience de volontaire du service civique.

a. Complétez la fiche.

Prénom : Ada
Âge : 18 ans
Lieu du service civique : ...
Mission : ...
Public concerné : ...
Pourquoi ce service civique ? ...
Future profession : ...

Exprimer des sentiments

- Être content(e)
- Être stressé(e)
- Avoir confiance en soi
- Avoir peur / la peur
- Être fier/fière
- Le trac

b. Relevez dans le témoignage, les mots qui expriment des sentiments. Classez d'un côté les sentiments positifs et de l'autre les sentiments négatifs.

7 Parlez.

Vous expliquez à un(e) camarade ce qu'est le service civique. Dites si vous avez envie de participer à une de leur mission. Dans quel secteur ? Expliquez pourquoi.

Projet – Étape 3 : les témoignages

Cherchez sur Internet des témoignages en relation avec le thème de votre reportage. Sélectionnez les plus intéressants. Si votre sujet le permet, interrogez directement des témoins. Réécrivez les témoignages en utilisant le discours rapporté. Gardez votre travail pour la suite.

4. Racontons un fait divers

Excès de vitesse

Lisez.

Lisez le fait divers puis mettez les actions dans l'ordre chronologique.

Les gendarmes lui retirent son permis, puis l'accompagnent passer le bac.

Jeudi dernier, la gendarmerie qui effectuait des contrôles de vitesse a retiré le permis de conduire à un jeune. Le jeune conducteur conduisait à 125 km/h au lieu de 80 km/h ! « Je ne voulais pas arriver en retard, c'est pour ça que j'ai accéléré. », a déclaré le jeune lycéen. Il allait passer le bac et ne voulait pas arriver en retard...

Cette explication n'a pas justifié son infraction, mais le gendarme a été compréhensif. Il a déposé ce candidat pressé devant son centre d'examen en véhicule de service. Le candidat est donc arrivé à l'heure à l'épreuve.

Quand les parents du jeune homme ont appris la nouvelle, ils ont écrit une lettre pour remercier « la gentillesse » et « l'humanité » du gendarme : « Il est rare de recevoir un courrier de remerciement après un retrait de permis », a déclaré le chef de la gendarmerie.

D'après www.lefigaro.fr, 20/06/2017.

a. La gendarmerie a retiré le permis de conduire à un jeune homme.
b. Le gendarme a accompagné le jeune homme jusqu'à son centre d'examen.
c. Le jeune a essayé de justifier sa vitesse.
d. Les parents du jeune homme ont écrit une lettre de remerciement à la gendarmerie.
e. Le jeune homme est arrivé à l'heure et s'est présenté aux épreuves.
f. Le jeune homme conduisait trop vite.

Imparfait ou passé composé ?

- *La gendarmerie qui effectuait des contrôles de vitesse a retiré le permis de conduire à un jeune.*
- *Je ne voulais pas arriver en retard c'est pour ça que j'ai accéléré.*

Quelle partie de la phrase exprime l'action principale ? Et l'action secondaire ?
À quels temps sont conjugués les verbes ?

Racontez. 

Vous êtes le jeune homme du fait divers. Vous racontez à un(e) ami(e) ce qu'il s'est passé. Utilisez les temps du passé.

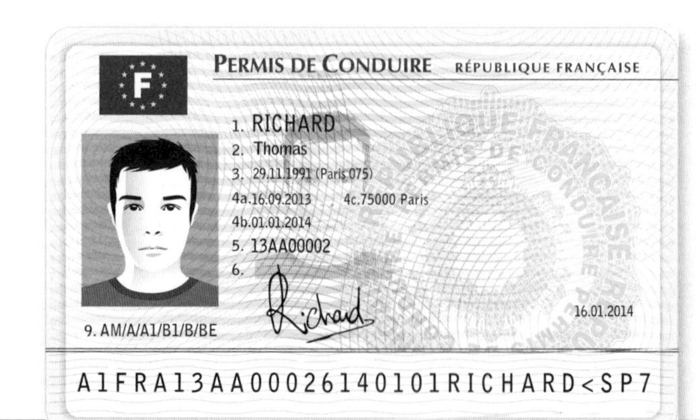

Racontez.

Est-ce que vous lisez des faits divers ? Pourquoi ?

Insolite

 **Écoutez.** 

Écoutez le flash info puis répondez.

a. Dans quel magasin le nombre de visiteurs augmente en été ?
b. Quelle est la cause de cette augmentation ?
c. Que font ces personnes sur les lits et les canapés du magasin ?
d. Quelle est l'attitude de la direction du magasin ?

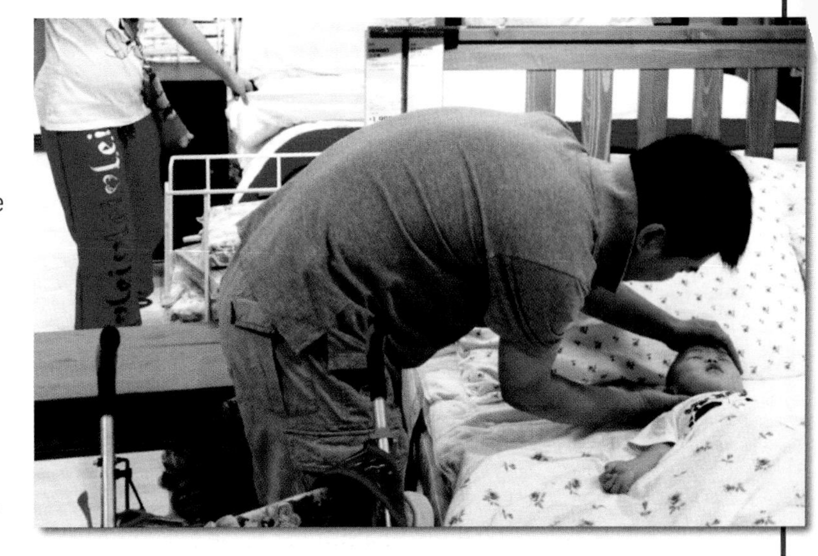

 **Écrivez.** 

Voici des titres de faits divers trouvés dans la presse. Choisissez un titre et présentez en 3 lignes le fait divers. Imaginez.

Des joueurs de Pokémon Go aident la police à arrêter un voleur.

Rhône : il s'endort devant la télé et se la fait voler.

ILS VOLENT UN BATEAU ET COULENT AVANT DE SORTIR DU PORT.

PROJET

Faisons un reportage ! 

Un thème d'actualité vous intéresse ? Vous cherchez des informations et vous réalisez un reportage sur le sujet.

- Reprenez votre travail des étapes 1, 2, 3 et terminez votre projet. Vous pouvez ajouter une information insolite en lien avec votre sujet.
- Déterminez le type de votre reportage : écrit, vidéo, audio...
- Complétez votre recherche d'images pour illustrer votre reportage.
- Classez les informations que vous avez recherchées. Faites une synthèse puis écrivez votre reportage. Votre reportage doit avoir un titre, quelques lignes de présentation puis un développement construit. Attention, n'écrivez pas votre texte de la même façon selon son type : écrit ou oral !
- Publiez votre reportage sur le site de la classe.

Si vous choisissez un support audio ou vidéo, ne parlez pas trop vite et pensez à articuler.

Grammaire

L'imparfait

▶ Observez

Lisez.

Steve raconte son enfance au Kenya.

REPORTAGE

Nous avons rencontré Steve. Il nous raconte son enfance au Kenya.

Pendant mon enfance, je vivais au Kenya avec mes parents. Mon père travaillait pour un magazine animalier et ma mère donnait des cours de français. C'était vraiment cool la vie là-bas. Nous habitions une maison dans un petit village pas très loin de la capitale, Nairobi. Le matin, mon père partait très tôt photographier les animaux sauvages. Moi, j'allais à l'école avec les autres enfants du village.
Le mieux, c'était les week-ends avec mes parents. Mon père nous emmenait photographier les animaux : des lions, des girafes… Nous restions souvent des heures à attendre, parfois pour rien ! Mais j'aimais ça. Nous étions bien tous ensemble.
Puis un jour, mon père a annoncé que nous devions revenir en France.

Répondez.

a. Quand est-ce que Steve vivait au Kenya ?
b. Pourquoi le père de Steve partait tôt le matin ?
c. Qu'est-ce que la famille faisait le week-end ?

Écrivez.

Cherchez dans le texte les formes à l'imparfait des verbes suivants. Complétez le tableau.

INFINITIF	IMPARFAIT
aimer	
aller	*j'allais*
devoir	
donner	
emmener	
être	
habiter	
partir	
rester	
travailler	
vivre	

▶ L'imparfait

Il est utilisé pour faire une description ou parler de ses habitudes dans le passé.

• **Pour former l'imparfait,** on prend la première personne du pluriel (*nous*) du présent. On remplace la terminaison *-ons* par les terminaisons *-ais, -ais, -ait, -ions, -iez, -aient*
*parler → nous parl**ons** → parl + -ais,- ais, -ait, - ions, -iez, -aient*

Trouvez la conjugaison des verbes.
manger → nous mangeons → je mang.. , …
finir → nous finissions → je …, … – payer → nous payions → je …, … – pouvoir → nous… → je … – aller → ils…

– Attention, le verbe *être* est irrégulier.
Cherchez dans le texte les formes manquantes.
*J'**étais**, tu **étais**, il …, nous …, vous **étiez**, ils **étaient***

▶ Imparfait ou passé composé

• On utilise l'imparfait pour les descriptions, pour parler de ses habitudes.
Je vivais au Kenya… – Le matin, mon père partait…

• On utilise le passé composé pour des actions délimitées dans le temps.
Un jour, mon père a annoncé… – Nous avons rencontré…

▶ Appliquez

Conjuguez.

Lisez le reportage sur Tippi. Conjuguez les verbes au passé composé ou à l'imparfait.

Tippi Degré *(naître)* en 1990 en Namibie. Ses parents *(être)* photographes animaliers. Elle *(vivre)* 10 ans dans ce pays avant de rentrer en France. Quand Tippi *(être)* petite, elle *(jouer)* avec les animaux sauvages. Les éléphants, les lions et les serpents *(être)* ses amis et elle *(partager)* ses journées avec eux. Un jour, elle *(devoir)* rentrer en France avec ses parents. Aujourd'hui, elle a 25 ans et elle *(décider)* de travailler avec les animaux.

Les pronoms COI

▶ Observez

Les pronoms COI

Ils remplacent des noms de personnes précédés de la préposition *à*, *au* ou *aux*. Ils s'utilisent principalement avec des verbes de communication : *demander, parler, téléphoner, raconter, dire, donner, envoyer...*

*Elle **écrit au** journaliste. → Elle lui écrit un message.*
*Il **demande aux** internautes. → Il leur demande.*

▶ Appliquez

5 Écrivez.

Répondez aux questions. Utilisez un pronom COI comme dans l'exemple.

Exemple : *Tu peux donner ton numéro **à David** ?*
→ Oui, je peux lui donner mon numéro.

a. Vous avez écrit **à vos parents** ?
b. Est-ce que tu as donné ton cadeau **à ma sœur** ?
c. Ils ont envoyé un mail **à leurs correspondants** ?
d. Elle a dit la vérité **à son père et à sa mère** ?
e. Je peux aider **votre amie** ?

Le discours rapporté

▶ Observez

Le discours rapporté

Il permet de rapporter les paroles d'une personne.
Paul : je suis en retard. → Paul dit qu'il est en retard.
Jeanne : Est-ce que Paul vient ?
→ Jeanne demande si Paul vient.

• **Formation**
– Pour une phrase affirmative :
verbe introducteur + *que* + les paroles à rapportées.
– Pour une phrase interrogative :
verbe introducteur + *si* + les paroles à rapportées.

• Quelques verbes introducteurs :
dire, répondre, penser, ajouter, expliquer...

▶ Pratiquez

6 Parlez.

Un journaliste interroge Gonzalo, un jeune français qui a vécu au Pérou. Imaginez ses réponses puis échangez votre travail avec votre voisin(e). Utilisez le discours rapporté pour présenter à la classe les réponses de votre voisin(e).

a. Vous habitez où aujourd'hui ?
b. Dans quel pays vous viviez quand vous étiez petit ?
c. Qu'est-ce que avez adoré dans ce pays ?
d. Qu'est-ce que vous faisiez pendant les vacances ?
e. Aujourd'hui qu'est-ce que vous étudiez ? Pourquoi ?

Les indicateurs de temps

▶ Observez

Les indicateurs de temps

depuis	→ Indique le début d'une action qui continue dans le présent.
il y a	→ Indique le temps écoulé entre la fin de l'action et le moment présent.
pendant	→ Indique une durée déterminée.
en	→ Indique le temps nécessaire pour accomplir une action.

▶ Pratiquez

7 Écrivez.

Complétez les phrases avec des indicateurs de temps.

a. J'ai participé au concours Lépine .... deux ans.
b. ... hier, on peut s'inscrire au concours des jeunes inventeurs.
c. Le cyclone a ravagé l'île ... quelques heures seulement.
d. Thomas Pesquet est resté dans l'espace ... six mois.

nité 5 **Phonétique**

Les sons [e] et [ɛ]

 **Écoutez et observez.** 

Les mots en bleu sont-ils prononcés de la même manière ? Si non, quelle est la différence selon vous ?

Pendant les vacances je me levais à 10 h mais ce matin je me suis levée à 6 h.

[e] levé

Quand on prononce le [e] de ***levé***, les lèvres sont étirées mais la bouche est presque fermée.

[ɛ] levais

Quand on prononce le [ɛ] de ***levais***, les lèvres sont étirées mais la bouche est ouverte.

 **Écoutez.** 

Quel son vous entendez ?

	[e]	[ɛ]
a.		
b.		
...		

 **Écoutez.** 

Notez les professions que vous entendez.

a. boulanger — boulangère
b. infirmier — infirmière
c. couturier — couturière
d. cuisinier — cuisinière

 **Écoutez.** 

Vous entendez le son [ɛ] dans quelle syllabe ?

	1re syllabe	2e syllabe	3e syllabe
a.			*regardait*
b.			
...			

 **Écoutez.** 

Passé composé ou imparfait ? Écoutez et indiquez le temps des verbes conjugués.

	Passé composé	Imparfait
a.		
b.		
...		

 **Lisez.** 

Lisez ces phrases à votre voisin(e). Essayez d'aller de plus en plus vite

a. Il vivait à Marseille avec son père, sa mère et son frère.
b. Vous aller acheter un cahier pour la classe de français ?
c. Ma mère était journaliste et elle a été interviewée pour un journal anglais.
d. Il a neigé ce matin sur une forêt des Pyrénées.

 **Graphie-phonie.**

Cherchez dans les exercices précédents les mots qui contiennent les sons [e] et [ɛ]. Classez-les dans un tableau puis dites quelles sont les différentes manières d'écrire ces sons.

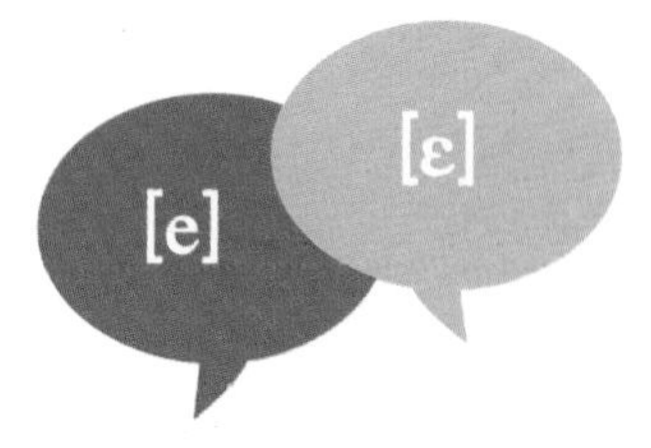

Utilisons les outils de la langue

 **Associez**

Associez à chaque image la catastrophe naturelle correspondante.

a. une tempête
b. un cyclone
c. une inondation
d. une pluie intense
e. un vent violent

1

2

3
4

5

 **Devinez.**

Trouvez le bon média.

les réseaux sociaux – le journal – la télévision – la radio – Internet

a. Il est en papier. Il y a des articles, des faits divers. C'est ... .
b. On la trouve dans les salons. Elle permet de regarder des films, des reportages, les informations... C'est ... .
c. Il permet de trouver toutes sortes d'informations. On l'utilise avec un ordinateur ou un Smartphone. C'est ...
d. On les utilise pour communiquer avec ses amis. On y publie des photos, des commentaires. Ce sont ... .
e. On l'écoute souvent dans la voiture. Elle permet d'écouter de la musique, des informations... C'est. ... .

 **Classez.**

Sentiments positifs ou sentiments négatifs ? Classez les expressions suivantes dans le tableau. Vous pouvez ensuite le compléter avec d'autres expressions que vous connaissez.

être content(e) – se sentir mal – être stressé(e) – se sentir angoissé(e) – avoir le trac – être tranquille – être heureux / heureuse – avoir peur – être fier/fière – être terrifié(e)

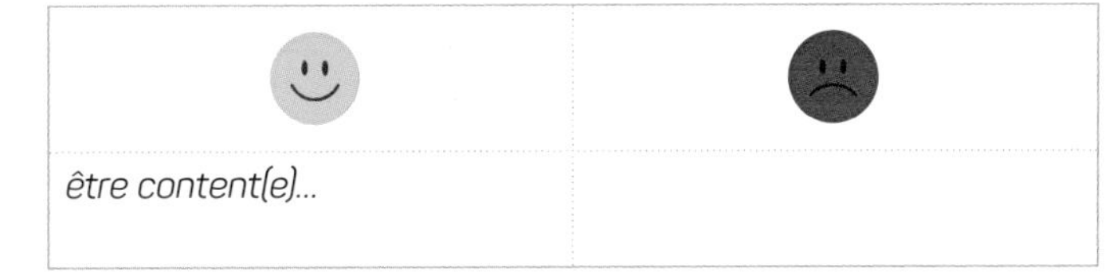

🙂	🙁
être content(e)...	

 **Écrivez.**

Écrivez le nom de ou des sentiments correspondant aux phrases ci-dessous.

Exemple : *J'ai un examen demain. → Je suis stressé, je suis angoissé...*

a. J'ai reçu un cadeau.
b. Je suis en vacances.
c. J'ai mal à la tête.
d. J'ai eu une bonne note à mon exposé.

Unité 5 Faisons le point

Voici les unes de différents journaux. Lisez-les, choisissez le sujet qui vous intéresse le plus et rédigez le reportage. Imaginez.

Vous devez :

- **préciser l'origine de l'information ;**
- **rapporter des témoignages, des opinions etc. ;**
- **utiliser les temps du passé ;**
- **ordonner votre récit.**

Paris : un tigre s'échappe d'un cirque avant d'être abattu

Un tigre de 200 kg s'est échappé d'un cirque vendredi en fin d'après-midi dans le sud-ouest de Paris. Son propriétaire l'a abattu.

Yohan Blavignat, lefigaro.fr, le 24/11/2017.

Les jeunes disent stop à la pauvreté !

Ils ont préparé des spectacles, ils ont répété leur rôle pour des pièces de théâtre, ils se sont mobilisés... Ces jeunes se sont engagés pendant toute l'année 2017.

D'après le site de l'association ATD Quart Monde.

LES FRANÇAISES SUR LE TOIT DU MONDE

Ce dimanche, les Françaises ont gagné leur deuxième titre de championnes du monde en handball.

D'après Le Monde, 17/12/2017.

TEMPÊTE ANA : LE BILAN

23 000 logements sont encore sans électricité après le passage de la tempête Ana sur la France.

D'après Le Monde, 12/12/2017.

Chez nos voisins, des sens uniques pour les piétons.

Pour faciliter la circulation dans les rues piétonnes du centre de la capitale espagnole, la maire de Madrid à décider d'imposer un sens unique.

Par Sandrine Morel, correspondante à Madrid, Le Monde Économie, 18/12/17.

Unité 6

C'EST MON MÉTIER !

Nous présentons notre futur métier

Nous allons présenter notre futur métier dans une courte vidéo.
Nous choisissons une orientation et nous identifions un secteur professionnel.
Nous faisons la liste des qualités et des compétences nécessaires pour exercer le métier que nous avons choisi.

Un journal en ligne

Nous allons :

- choisir une orientation .... p. 78-79
- identifier les secteurs d'avenir .... p. 80-81
- découvrir des métiers .... p. 82-83
- choisir une tenue de travail .... p. 84-85
- utiliser les outils de la langue .... p. 86-89
- faire le point .... p. 90

1. Choisissons une orientation

Il est parfois compliqué de choisir un métier. Ces jeunes ont décidé de faire le métier qui leur plaît et de vivre de leur passion !

Je filme le métier qui me plaît

 **Regardez la vidéo 10 « je filme le métier qui me plaît ».** 

Découvrez le concours organisé chaque année par le ministère de l'Éducation nationale. Répondez.

a. À qui s'adresse le concours ?
b. Quel est l'objectif du concours ?
c. Quels métiers on voit dans le clip ?
d. Que faut-il faire pour participer au concours ?

  **Parlez.**

Vous voulez participer au concours présenté dans la vidéo. Vous expliquez à votre professeur en quoi consiste le concours et pourquoi vous souhaitez participer. Jouez la scène à deux.

Je vis de ma passion

 **Lisez**

a. Lisez le témoignage d'Agathe et expliquez son parcours depuis le bac.
b. Pourquoi son métier est une vraie passion ?

« Mon métier est une vraie passion »

Agathe a 29 ans. Quand elle était au lycée, elle a participé au concours « Je filme le métier qui me plaît » avec sa classe. À l'époque, elle voulait être peintre. Aujourd'hui elle est coach sportif dans un club de fitness à Dijon. Elle nous raconte son parcours.

« Après mon bac série L (littéraire), j'ai intégré une école préparatoire aux Beaux-Arts. Puis j'ai commencé une licence d'espagnol. Enfin, je me suis réorientée vers une filière sportive. J'avais envie de tout changer. J'ai donc opté pour le sport. Le sport a toujours été ma passion. J'ai toujours aimé passer des heures dans les salles de sport ! Ce qui m'a attiré vers le métier de coach ? Les rapports humains, sans hésitation. On voit les adhérents plusieurs fois par semaines et des relations se créent. On souffre avec eux pendant les exercices difficiles, on les voit progresser et certains deviennent même des amis !
Un coach sportif doit beaucoup étudier (l'anatomie, la physiologie...) et doit aussi beaucoup s'entraîner. Pendant mes études, j'ai adoré les séances de musculation et de course à l'extérieur. Aujourd'hui, je ne regrette pas du tout mes décisions. Mon métier est une vraie passion et, chaque jour, j'essaie de faire de mon mieux. »

D'après www.digischool.fr

Parler de son parcours

- Un parcours
- Un lycée
- Une filière
- Une licence
- Une école préparatoire
- Un métier
- Le baccalauréat / Le bac
- Faire des études / Étudier
- S'orienter / Se réorienter
- Intégrer

 **Parlez.**

Quelle est votre passion ? Souhaitez-vous faire un métier en lien avec cette passion ? Expliquez.

Ils ont choisi un métier traditionnel

5 Écoutez. 57

Quatre jeunes témoignent sur le choix de leur profession. Écoutez-les et complétez le tableau.

	AVANT	QUE S'EST-IL PASSÉ ?	MAINTENANT
Guillaume	*Je ne savais pas quoi faire de ma vie.*	...	*Je suis ...*
...	...	...	...

Imparfait ou passé composé ?

- *J'ai fait plusieurs stages pour découvrir des métiers mais rien ne me plaisait.*
- *On faisait du camping avec mon cousin et il s'est blessé.*

Observez les phrases. Expliquez les emplois du passé composé et de l'imparfait.

6 Observez.

Associez chaque photo au métier de l'activité 5 qui correspond.

1

2

3

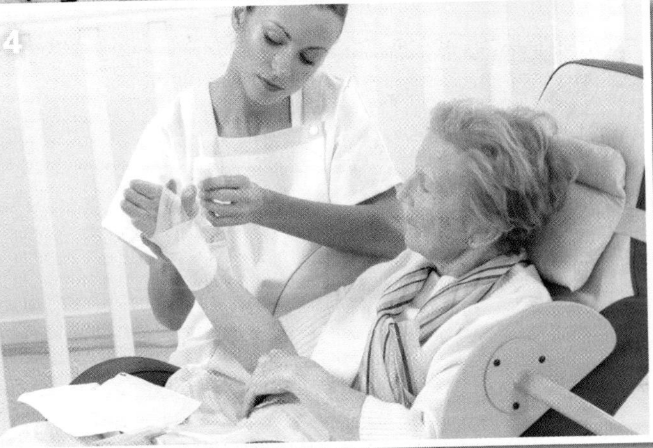

4

Pour parler de son intérêt / désintérêt

- Ça m'a tenté de + infinitif
- J'étais curieux/se de + infinitif
- J'ai trouvé ça intéressant de + infinitif
- Le métier d'avocat m'intéresse...
- Rien ne m'intéresse
- Rien ne me plaît

Les métiers

- Un(e) fleuriste
- Un(e) avocat(e
- Un médecin
- Un boulanger / Une boulangère
- Un coiffeur / Une coiffeuse
- Un infirmier / Une infirmière

Projet – Étape 1 : le choix d'une orientation

Regroupez-vous en fonction de vos intérêts. Vous allez présenter un seul métier : il faut qu'il plaise à tous les membres du groupe. Choisissez un métier qui vous intéresse, qui vous attire. Par écrit, expliquez pourquoi vous avez fait ce choix, quelles sont les informations, les représentations que vous avez de ce métier. Gardez votre travail pour la suite.

2. Identifions les secteurs d'avenir

Tendance actuelle

Lisez.

Découvrez des secteurs qui recrutent.

a. Quel métier est présenté ?
b. Quel profil est recherché ?
c. Quel est le salaire annuel de ce métier ?
d. Qu'est-ce qu'il se passe tous les 5 ans ?

Écrivez.

Quels sont les avantages et les inconvénients du métier d'espion ? Vous aimeriez faire ce métier ?

Les services secrets français recrutent près de 600 agents

Les services secrets français ont annoncé vouloir engager près de **600 nouveaux agents secrets** pour lutter contre les cyber-attaques et le terrorisme. Ils recherchent des diplômés qui parlent l'anglais couramment, des profils ingénieurs en majorité, et ils manquent de profils « techniques » qui parlent le russe, le chinois, le persan et le coréen. À la clé, un salaire de 33 000 à 35 000 euros bruts par an. Durant la carrière d'espion, celui-ci fait l'objet d'une enquête tous les 5 ans pour des questions de sécurité et d'une évaluation psychologique. Se marier avec une personne étrangère peut ainsi devenir très compliqué…

À noter que la DGSI – Direction Générale de la Sécurité Intérieure – va également embaucher 934 nouvelles recrues d'ici à 2018 afin de « moderniser ses capacités à répondre à la complexité de la menace terroriste ».

D'après www.blog-emploi.com, 13/02/2017.

Écoutez.

a. Écoutez l'annonce de Pôle Emploi et répondez.

a. Quel secteur recrute ? Pourquoi ?
b. Quels sont les profils recherchés ?
c. Que faut-il faire pour avoir plus d'informations ?
d. À quels secteurs correspondent les photos ?

Les verbes *pouvoir, devoir, vouloir, savoir*

- *Vous voulez travailler dans un secteur qui recrute ?*
- *Vous savez vous adapter à toutes les situations ?*
- *Vous pouvez trouver rapidement des solutions ?*
- *Vous devez envoyer un mail.*

Dites ce que chacun des verbes exprime : la possibilité, la volonté, la connaissance, l'obligation.

Discutez.

À votre avis quels secteurs vont se développer à l'avenir ? Pourquoi ?

1

2

3

Métiers verts

 **Écoutez.** 

« Les métiers verts », qu'est-ce que c'est ? Écoutez et relevez les phrases exactes. Corrigez les autres.

a. Les métiers verts se développent en France uniquement.
b. Il y a de plus en plus d'embauches dans ce secteur.
c. Les métiers du futur sont traditionnels.
d. Beaucoup de nouvelles professions vont se développer.
e. En 2020, il y aura 100 000 postes de plus qu'aujourd'hui.

 **Lisez.**

Maëlys s'interroge sur son orientation. Elle demande de l'aide sur un forum. Lisez les commentaires des internautes et répondez.

a. Quel est le problème de Maëlys ?
b. Qui l'encourage ?
c. Quel est le conseil de Pedro ?

Conseiller et encourager

- Je te conseille de + infinitif
- Si j'étais toi, + conditionnel
- Devoir (conditionnel)
- Il vaudrait mieux + infinitif
- Vas-y, fonce !
- Tu vas y arriver
- J'en suis sûr(e)

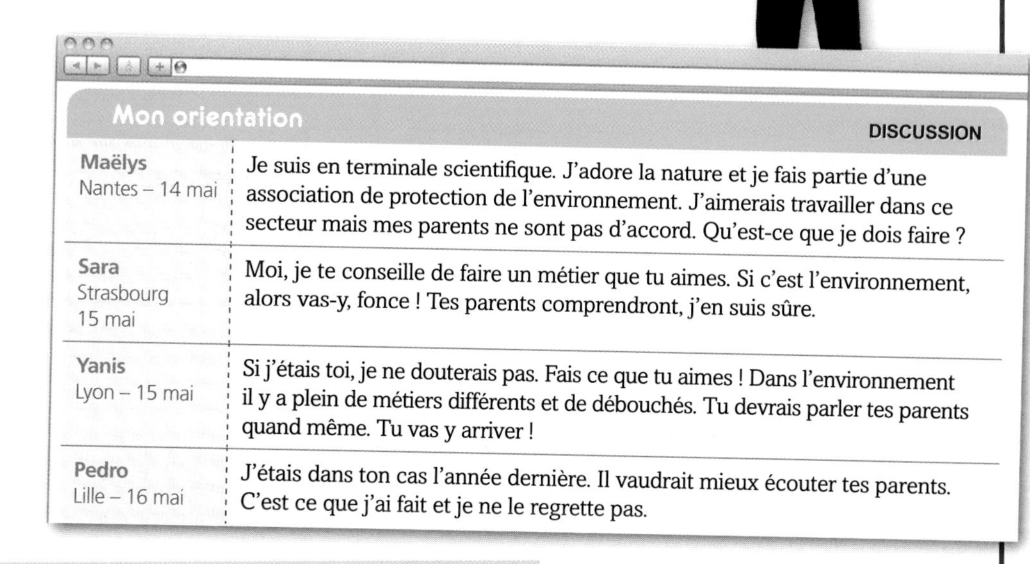

Mon orientation — DISCUSSION

Maëlys Nantes – 14 mai	Je suis en terminale scientifique. J'adore la nature et je fais partie d'une association de protection de l'environnement. J'aimerais travailler dans ce secteur mais mes parents ne sont pas d'accord. Qu'est-ce que je dois faire ?
Sara Strasbourg 15 mai	Moi, je te conseille de faire un métier que tu aimes. Si c'est l'environnement, alors vas-y, fonce ! Tes parents comprendront, j'en suis sûre.
Yanis Lyon – 15 mai	Si j'étais toi, je ne douterais pas. Fais ce que tu aimes ! Dans l'environnement il y a plein de métiers différents et de débouchés. Tu devrais parler tes parents quand même. Tu vas y arriver !
Pedro Lille – 16 mai	J'étais dans ton cas l'année dernière. Il vaudrait mieux écouter tes parents. C'est ce que j'ai fait et je ne le regrette pas.

 **Écrivez.**

À votre tour, donnez un conseil à Maëlys sur le forum.

Projet – Étape 2 : le secteur professionnel 

À quel secteur appartient le métier que vous avez choisi à la première étape. Présentez ce domaine, les débouchés qu'il propose. Vous pouvez vous aidez d'Internet pour vos recherches. Gardez votre travail pour la suite.

3. Découvrons des métiers

Un métier hors du commun

 Écoutez. 

Écoutez le témoignage d'Almond et répondez.
a. En quoi consiste le métier de testeur de jeux vidéo ?
b. Quelles langues il faut parler ?
c. Quelle est la compétence professionnelle la plus importante ?
d. Quels sont les points négatifs de ce métier ?

Les adverbes

Ils donnent des informations sur le verbe (manière, quantité, fréquence...)
- *On travail peu.*
- *On s'amuse beaucoup.*
- *Le testeur parle bien français.*

Observez. Où se place l'adverbe ?

Votre ami(e) veut devenir testeur/testeuse de jeu vidéo. Vous lui expliquez en quoi consiste ce métier.

Les compétences professionnelles
- Parler une langue étrangère
- Travailler en équipe
- Être autonome
- Être flexible

Un beau métier

 Lisez.

Marco est infirmier. Lisez son interview et faites la liste des qualités nécessaires pour exercer ce métier.

La condition avec *si*
- *Si on n'écoute pas les patients, on ne peut pas bien les soigner.*
- *Si vous êtes passionnés, avancez vers vos passions !*
- *Si vous aimez votre travail, vous le ferez bien et avec plaisir.*

Dans ces phrases, quelle partie exprime la condition et quelle partie exprime le résultat. À quels temps sont conjugués les verbes ?

Les qualités professionnelles

· L'empathie	· S'adapter
· La passion	· Être passionné(e)
· Être à l'écoute	· Travailler en autonomie
· Être patient(e) / La patience	· Être méticuleux / méticuleuse
· Garder son sang froid	· Être organisé(e)

FICHE MÉTIER

Pouvez-vous vous présenter ?
Je m'appelle Marco Ruffié, j'ai 35 ans et je suis infirmier depuis 3 ans.

Quelles sont les qualités requises dans votre métier ?
Il faut être à l'écoute et avoir de l'empathie. C'est essentiel. Si on n'écoute pas les patients et qu'on ne les comprend pas, on ne peut pas bien les soigner. Il faut savoir être patient, parfois même très patient ! Il faut aussi savoir garder son sang froid. Nous sommes confrontés à des situations variées et souvent inattendues. Il faut donc savoir s'adapter.

C'est un métier d'avenir ?
On aura toujours besoin d'infirmier... malheureusement !

Quels conseils pouvez-vous donnez aux jeunes pour s'orienter ?
Si vous êtes passionnés, avancez vers vos passions ! Il ne faut pas avoir peur. Si vous aimez votre travail, vous le ferez bien et avec plaisir.

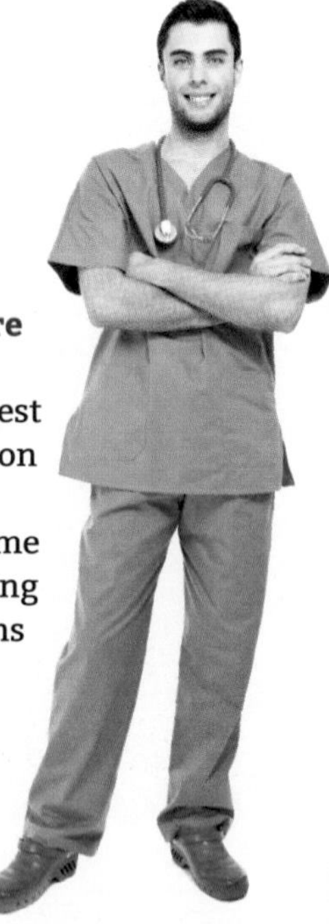

 Observez et parlez. 

La série de bande dessinée, *Les Femmes en Blanc*, présente avec humour le milieu hospitalier. Les personnages principaux sont des infirmières.

a. Expliquez le titre de la série, *Les Femmes en Blanc*.
b. Décrivez les personnages de la couverture (infirmières et patient).
c. Comparez les qualités professionnelles listées à l'activité 3 avec l'attitude des infirmières sur la couverture ?

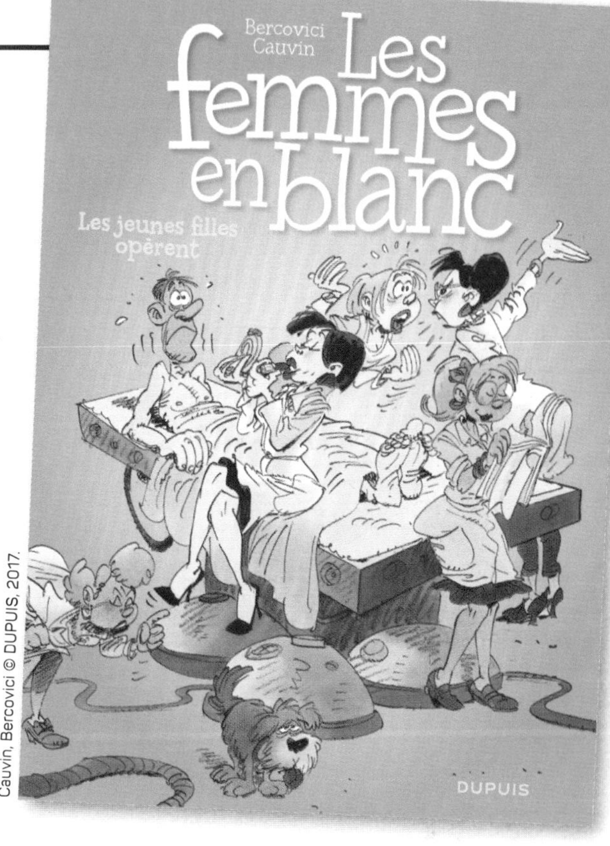

Cauvin, Bercovici © DUPUIS, 2017.

 Discutez. 

À votre avis que raconte la bande dessinée ?

Les métiers qui recrutent

 Observez et lisez.

Découvrez des métiers qui recrutent en 2017. Associez chaque définition à l'image qui correspond.

a. Ils travaillent dans le secteur alimentaire. Ils sont précis, aimable et efficaces.
b. Ils travaillent dans le secteur médical. Ils sont patients. Ils aiment aider les autres. Ils travaillent parfois la nuit et les week-ends.
c. Ils travaillent souvent avec des personnes âgées. Ils les aident pour faire les courses et le ménage.
d. Ils travaillent dans des magasins ou des entreprises quand tout le monde est parti. Ils s'occupent du ménage.

Projets de recrutement en 2017

D'après Pôle Emploi, 2017.

 Écrivez. 

Imaginez deux autres métiers qui recrutent. Par deux, inventez une devinette comme dans l'activité précédente. Lisez-la à la classe qui devine le métier.

Projet – Étape 3 : les compétences et les qualités professionnelles 

Pour faire le métier de vos rêves, quelles sont les compétences professionnelles nécessaires ? Et les qualités ? Présentez vos résultats dans un tableau. Conservez votre travail pour la suite.

Ne confondez pas les compétences et les qualités professionnelles !
- Les compétences font référence au savoir-faire : travailler en équipe, parler des langues étrangères...
- Les qualités font référence au caractère, à notre manière d'être : être sérieux, calme, observateur...

4. Choisissons une tenue de travail

Les vêtements et le look permettent de se différencier des autres. Mais on ne peut pas toujours s'habiller comme on veut. Il faut savoir respecter les codes vestimentaires.

À chacun son look

Regardez la vidéo 11 « La tenue vestimentaire ». 

a. Regardez la vidéo sans le son et expliquez la situation.
b. Regardez maintenant la vidéo avec le son et répondez.
a. Quel commentaire fait la voix sur la tenue de Julia ?
b. Pourquoi reproche-t-elle sa tenue à Jules ?
c. Qu'est-ce qui n'est pas obligatoire dans la tenue de Jules ?
d. Quel est le conseil pour le parfum ?
e. Que se passe-t-il avec les chaussures ?

Pour parler d'une tenue vestimentaire

- Être/ne pas être à l'aise
- Être présentable
- Avoir bon/mauvais goût
- Avoir l'air (in)confortable

Observez. 

a. Quelles tenues vous pouvez porter pour travailler dans un bureau ? Justifiez.
b. Pour quel travail pouvez-vous porter les autres tenues ?

3 Lisez.

Lisez les commentaires du forum puis répondez.

a. Qui est pour le piercing au travail ?
b. Qui a un piercing ?
c. Qui a un tatouage ?
d. Qui n'a pas de piercing ?

FORUM *Piercing et tatouage au travail, c'est possible ? On attend vos posts !*

➤ Les boucles d'oreilles, c'est un piercing, non ? Ça ne choque personne ? Alors au sourcil, dans le nez…, c'est pareil. Dans 3 ans j'aurai 18 ans, et c'est sûr, je fais des piercings. Et j'irai travailler avec. – **Elisa**

➤ Les piercings, je trouve ça moche. Alors pour travailler ou pas, je suis contre. Vous imaginez votre banquier avec un piercing dans le nez ? !!! – **Zack**

➤ Un piercing c'est moche ? Moi perso, je ne trouve pas. Et puis pour travailler, tu peux l'enlever. Moi, je n'ai pas de piercing mais chez les autres ça ne me gêne pas ! – **Simon**

➤ J'ai 19 ans et je travaille dans un bar. J'ai plusieurs piercings et un tatouage sur l'épaule. Tout le monde adore. Dans mon travail ce n'est pas un problème. Heureusement ! La semaine prochaine, je fais un nouveau tatouage. – **Candice**

➤ Pour mon entretien d'embauche, j'ai enlevé mon piercing et j'ai caché mon tatouage. Hier, j'en ai parlé à mon responsable. Il m'a dit « pas question » ! C'est à cause des clients… – **Val**

Exprimer le futur avec le présent

- *Dans 3 ans, je fais des piercings.*
- *La semaine prochaine, je fais un nouveau tatouage.*

Comment exprime-t-on le futur avec le présent ?

4 Débattez.

Que pensez-vous des piercings et des tatouages ? Participez à un débat. Un groupe est favorable aux tatouages et aux piercings, un autre est contre. Un élève anime le débat et joue le modérateur.

PROJET

Nous présentons notre futur métier

Vous commencez à réfléchir à votre orientation professionnelle. Vous vous renseignez sur un métier qui vous intéresse et vous faites une vidéo pour le présenter.

- Choisissez les vêtements que vous allez porter dans le film. Prenez soin de votre apparence. Veillez à choisir une tenue adaptée au métier (ou au secteur) présenté.
- Reprenez votre travail des différentes étapes et écrivez le scénario de votre film. Faites des recherches supplémentaires si nécessaire. Faites attention à la longueur de l'ensemble. Votre vidéo doit durer une minute environ.
- Déterminez les lieux de tournage.
- Répartissez-vous les rôles pour le tournage. Il doit y avoir un réalisateur et des comédiens. Vous pouvez aussi alterner.
- Tournez puis postez votre vidéo sur le site Internet de la classe.

> • Faites bien attention à la prononciation dans la vidéo. Et ne parlez pas trop vite !
> • Vous pouvez aussi préparer un power point ou un exposé oral.

Grammaire

Les temps du passé

▸ Observez

 **Lisez.**

Salut Elliott,

Ce matin, je t'ai vu au bord de l'eau quand tu faisais du jogging. Nous nous sommes croisés. Tu portais un short noir et un tee-shirt jaune. Tu n'as pas fait attention à moi, tu écoutais de la musique. Appelle-moi !

Tom

 **Répondez.**

a. Comment était habillé Elliott ?
b. Qu'est-ce que faisait Elliott ce matin ?
c. Est-ce que Tom et Elliot on parlé ensemble ce matin ?

> ▸ **Les temps du passé**
>
> Le passé composé est utilisé pour raconter des éléments délimités dans le temps. L'imparfait est utilisé pour la description.
>
> *Je l'ai vu, il portait une chemise rouge.*

▸ Appliquez

 **Conjuguez.**

Mettez les verbes aux temps qui conviennent : imparfait ou passé composé.

– Salut Léo ! Mais qu'est qu'il (*se passer*) hier ?
– Hier, je (*sortir*) tard du travail. J'(*attendre*) le bus très longtemps. Il (*être*) en retard. Puis il (*arriver*) mais ne (*s'arrêter*) pas. Alors je (*courir*) derrière lui et je (*tomber*).

Les verbes *pouvoir, devoir, vouloir, savoir*

▸ Observez

> ▸ ***Pouvoir, vouloir, devoir, savoir***
>
> Ils sont toujours suivis d'un verbe à l'infinitif.
> - *Je peux **trouver** une solution.*
>   → *pouvoir* exprime la possibilité.
> - *Elle veut **travailler** dans l'informatique.*
>   → *vouloir* exprime la volonté.
> - *Vous devez **connaître** le français.*
>   → *devoir* exprime l'obligation.
> - *Tu sais **parler** chinois.*
>   → *savoir* exprime la connaissance.

▸ Appliquez

 **Écrivez.**

Vouloir, pouvoir, devoir, savoir **? Complétez avec le bon verbe.**

Vous êtes lycéen et vous ne ... pas quelle filière choisir après le bac ? Vous ne ... pas vous tromper ? Le CIO est là pour vous aider. Vous ... vous y rendre seul ou avec vos parents. Vous trouverez des informations sur les métiers, les formations et vous ... demander des conseils à un conseiller. Vous ne ... rien payer, toutes les informations sont gratuites !

Utilisons les outils de la langue

Les adverbes

▶ Observez

▶ Les adverbes

• Généralement, on place les adverbes **après le verbe conjugué**.
Je travaille toujours le soir.
Je dois toujours travailler le soir.

• Attention, au passé composé on place l'adverbe **entre le verbe *être* ou *avoir* et le participe passé**.
J'ai toujours travaillé le soir.

▶ Appliquez

Transformez.

Mettez les phrases suivantes au passé composé.
Exemple : *J'étudie beaucoup. → j'ai beaucoup étudié.*

a. Alice veut toujours partir en Inde.
b. Ils terminent vite leur formation.
c. Vous allez souvent au Centre d'informations.
d. Nous parlons peu français dans ce travail.

La condition

▶ Observez

▶ La condition

Condition	Résultat
Si + verbe au présent de l'indicatif	verbe au présent verbe au futur simple verbe à l'impératif

Si devient *s'* devant « il(s) ».

*Si tu **as** un diplôme, tu **as** plus de chance de trouver un travail.*
*Nous **arriverons** à l'heure, si notre avion n'**est** pas en retard.*
*Si vous **partez** à l'étranger, **téléphonez**-moi !*

▶ Appliquez

Écrivez.

Terminez les phrases.
a. Si tu viens demain chez moi, ...
b. S'il veut avoir un bon travail, ...
c. Si vous êtes patientes, ...
d. Si on change de travail, ...

Le présent à valeur de futur

▶ Observez

▶ Le présent à valeur de futur

Le présent à valeur de futur est accompagné d'une indication de temps. Il est utilisé pour exprimer un fait qui se réalisera prochainement. L'action va avoir lieu bientôt se passer.

*Vendredi, **j'ai** rendez-vous avec mes amis.*
*Demain, on **va** au cinéma.*
*Ce soir, le film **commence** à 20 h 30.*

▶ Appliquez

Écrivez.

Dites vos projets pour l'avenir. Utilisez le présent. N'oubliez pas les indications de temps.

Phonétique

Les sons [f] et [v]

Écoutez et observez.

Les mots en bleu se prononcent-ils tous de la même manière ?

Tous les fans sont allés à Vannes pour encourager ces sportifs et ces sportives qui participent à la compétition.

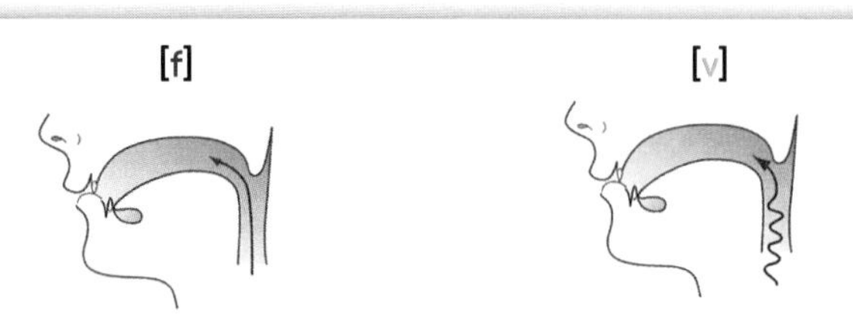

Quand on prononce [f], les cordes vocales ne vibrent pas.

Quand on prononce [v], les cordes vocales vibrent.

▶ C'est la seule différence entre ces deux sons.

Écoutez.

Quel mot vous entendez ?

	[f]	[v]
a	frais	vrai
b	fin	vin
c	fil	ville
d	fer	verre
e	sportif	sportive
f	face	vache

Écoutez et écrivez.

Quels groupes de mots entendez-vous ?

	1	2
a.	faire / verre	verre / faire
b.	foire / voir	voir / foire
c.	fille / ville	ville / fille
d.	frais / vrai	vrai / frais

Lisez et écoutez.

Lisez les phrases et repérer les mots qui contiennent les sons [v] et [f]. Écoutez ensuite l'enregistrement pour vérifier.

a. Les enfants vont souvent voir un film au cinéma.
b. Une fille française veut faire une interview dans votre école.
c. C'est une vraie affaire, foncez !
d. Franck et Valérie feront un voyage au Viêtnam pendant les vacances.

Écoutez et écrivez.

Pour chaque phrase, notez les mots qui contiennent les sons [f] et/ou [v].

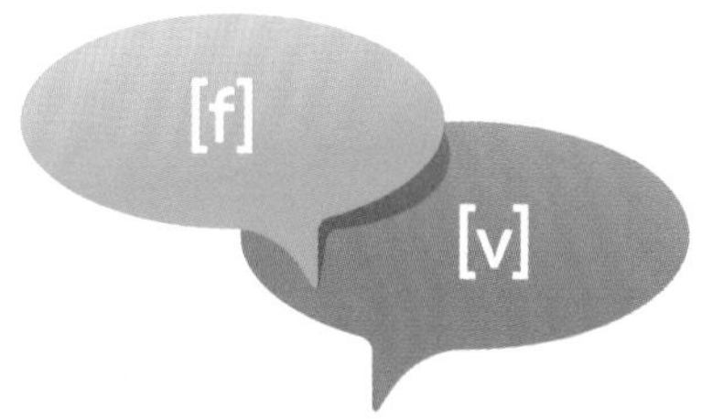

Écoutez et parlez.

Écoutez les phrases et répétez de plus en plus vite.

a. Fanny, ne fais pas trop la fête ce soir.
b. Vous pouvez vendre votre voiture.
c. Si vous allez aux Maldives, vous ferez vraiment de belles photos.
d. Victoria et Farid veulent venir en France pour la fête de la musique.

Parlez.

Vous avez une minute pour trouver le plus de mots qui commencent par le son [f] . Vous avez à nouveau une minute pour trouver des mots qui commencent pas [v]. Mettez tous les mots en commun.

Utilisons les outils de la langue

 Écrivez. 

**Choisissez une catégorie et complétez-la avec le plus de professions possible.
Mettez vos réponses en commun avec le reste de la classe et complétez le tableau.**

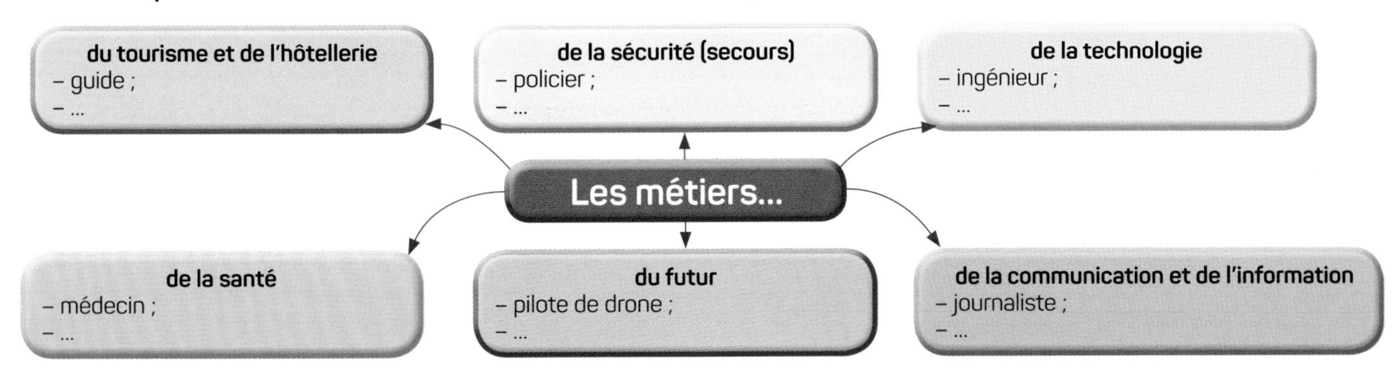

 Observez et lisez. 

**a. Associez à chaque photo les compétences professionnelles qui correspondent.
Attention, une compétence peut correspondre à plusieurs métiers.**
être patient – travailler en équipe – être minutieux – être créatif – avoir le goût du risque – être dynamique – aimer aider les autres

1

2

3

b. Par deux, cherchez deux autres compétences pour chaque profession.

 Écrivez.

Associez chaque tenue à une profession. Expliquez vos choix.
une directrice financière – un directeur de start-up – une journaliste de presse féminine – un banquier

Tenue 1

Tenue 2

Tenue 3

Tenue 4

Unité 6

Faisons le point

Vous êtes au lycée. Vous devez faire un stage d'une semaine dans une entreprise. Plus tard, vous souhaitez travailler dans le secteur du tourisme. Vous avez le choix entre plusieurs entreprises. Lisez les documents et choisissez l'entreprise qui vous intéresse le plus. Vous écrivez un mail à l'entreprise.

Vous devez :

- **vous présenter ;**
- **dire ce que vous voulez ;**
- **expliquer pourquoi vous avez choisi cette entreprise,**

Utilisez les verbes *pouvoir*, *vouloir*, *devoir*, *savoir*.

Agence de voyage Bertoux

Découvrez le métier d'agent de voyages avec les meilleurs professionnels de la région ! Dans notre agence, nous cherchons les meilleures options pour des voyages d'affaires. Nous réalisons des enquêtes de satisfaction.

Contact : bertouxvoyage@gmail.com
Téléphone : 01 12 58 47 82

Espace Tourisme

Vous accompagnerez un guide bilingue dans ses tâches quotidiennes : accueil des touristes, organisation et planification des visites, visites guidées en anglais et en français etc.

Contact : r.vincent@espacetourisme.com
Téléphone : 01 77 01 00 21

Grand Hôtel Palace

Avec le réceptionniste de l'hôtel, vous ferez l'accueil des clients, le check-in et le check-out. Vous l'aiderez à répondre aux questions des clients. Vous renseignerez aussi les clients sur les lieux touristiques à proximité.

Contact : rh@hotelpalace.com
Téléphone : 01 92 97 56 00

- Entraînements au DELF A2 .... p. 92
- Grammaire .... p. 98
- Conjugaison .... p. 105
- Lexique .... p. 110
- Transcriptions .... p. 114
- Carte de France .... p. 127
- Carte de la francophonie .... p. 128

Entraînements au DELF A2

Entraînement 1

Compréhension orale

 **Écoutez l'enregistrement et répondez aux questions.** 

a. Comment s'appelle le garçon ?
1. Ludovic **2.** Gabriel **3.** Gautier

b. Quel âge a-t-il ?

c. Combien a-t-il de frère et sœur?

d. Il habite à :
1. Grasse **2.** Marseille **3.** Nice

e. Quelle est sa matière préférée ?

f. Pourquoi il est content d'habiter à Nice ?

 **Vous allez entendre 5 courts enregistrements correspondants à 5 situations.** (68)
Associez chaque enregistrement à une image.
Attention, il y a 6 images mais seulement 5 dialogues.

1

2

3

4

5

6

Compréhension écrite

Lisez le texte et répondez aux questions.

Réaliser un rêve : Nager avec les dauphins à l'île Maurice

posté par céline

J'adore les dauphins et depuis toujours, j'ai un rêve : nager avec des dauphins en milieu naturel. J'ai vu des dauphins dans un delphinarium, un zoo pour dauphins. Et aujourd'hui je regrette. C'est trop triste.
Il y a quelques années, je suis allée avec ma famille à l'île Maurice, j'ai vu pour la première fois des dauphins en liberté. C'est magique !
L'année suivante, je suis retournée à l'île Maurice. Et là, pour la première fois, j'ai nagé avec les dauphins.
On part tôt le matin et on va au large. Puis on attend. Les dauphins arrivent et à ce moment, on ne saute pas dans l'eau. On descend par l'échelle. Il ne faut pas faire peur aux dauphins. Je suis un peu inquiète. Mais une fois la tête sous l'eau, l'émerveillement est complet. On voit tout un banc de dauphins, il passe et repasse. Certains sont tout près. Je vois même un bébé dauphin et mieux, j'entends leurs sifflements.
Une expérience inoubliable !

D'après www.je-papote.com, 04/10/2017.

a. Où Céline est-elle partie en vacances ?
b. Quel est le rêve de Céline ?
c. Pourquoi il ne faut pas sauter dans l'eau ?
d. Qu'est-ce que Céline a entendu ?

Production orale

▸ Entretien dirigé

Parlez de votre lycée, de vos camarades, de vos professeurs. Qu'est-ce que vous préférez ?

▸ Exercice en interaction

Vous devez choisir un lieu pour vos prochaines vacances : vous expliquez votre choix de destination (transport, climat, hébergement, activités...).

Production écrite

Vous faites un séjour linguistique dans un pays francophone. Vous êtes chez votre correspondant(e). Vous envoyez un mail à votre professeur de français. Vous racontez votre séjour.

Entraînements au DELF A2

Entraînement 2

Compréhension orale

 **Écoutez l'enregistrement et répondez aux questions.** 

a. La recette permet de faire combien de crêpes ?

b. Quels ingrédients sont nécessaires pour la recette ?

c. Est-ce qu'il faut des œufs entiers ou faut-il séparer le blanc du jaune ?

d. Combien il faut d'œufs ?

e. Avec quoi, on peut manger les crêpes ?

 **Écoutez l'enregistrement et répondez aux questions.** 

a. Il s'agit :
  1. d'une publicité.
  2. du répondeur d'un médecin.
  3. du serveur vocal d'un théâtre.

b. Sur quelle touche, il faut taper pour réécouter l'enregistrement ?

c. À quelle heure se joue la pièce le week-end ?

d. Quel est le tarif des places les moins chères ?

Compréhension écrite

3 Lisez le texte et répondez aux questions.

Le cassoulet est un plat traditionnel du sud ouest de la France. Il est sans doute né pendant la guerre de Cent ans (1337-1453). Les Anglais entourent Castelnaudary. Les habitants ne peuvent plus quitter leur ville. Ils ont faim. Ils décident donc de mélanger dans une grande marmite des saucisses, des fèves, de la viande... Ils font cuire le tout. Ils obtiennent un plat délicieux. Les soldats retrouvent leur force et chassent les Anglais. Aujourd'hui, il existe plusieurs recettes de cassoulet en France.

a. À quelle époque est né le cassoulet ?

b. Où est né le cassoulet ?

c. Quels ingrédients composent le cassoulet ?

d. Les soldats français ont mangé du cassoulet : que s'est-il passé ensuite ?

1. Ils ont fait la sieste.
2. Ils ont été malades.
3. Ils ont battu les Anglais.

e. Est-ce qu'il y a une seule recette du cassoulet ?

Production orale

▸ Entretien dirigé

Vous répondez aux questions de l'examinateur.

- Quel est votre plat préféré ? Et votre dessert préféré ?
- Faites-vous la cuisine en famille ?
- Allez-vous souvent dans les fast-food ou dans un autre type de restaurant ?

▸ Exercice en interaction

Vous voulez aller au concert de votre groupe préféré (ou chanteur/chanteuse) le mois prochain. Vous téléphonez à un(e) ami(e) pour lui demander de vous accompagner. Il/elle a déjà prévu des activités. Vous essayez de le/la convaincre de venir avec vous. Jouez la scène.

Production écrite

Vous êtes devenu(e) végétarien(ne). Vous expliquez pourquoi à un(e) ami(e). Écrivez un mail.

Entraînements au DELF A2

Entraînement 3

Compréhension orale

 **Écoutez l'enregistrement et répondez aux questions.** 

a. Quel métier est cité ?

b. Combien de personnes sont recrutées chaque année ?

c. Quelles qualités sont nécessaires pour occuper ce poste ? (2 réponses)
1. la patience
2. le dynamisme
3. le travail en équipe

d. Il faut envoyer son CV à :
1. ACE@education.com
2. ADE@education.com
3. APE@education.com

e. Avant quelle date il faut postuler ?

 **Écoutez l'enregistrement et répondez aux questions.** 

a. Quel est l'évènement présenté dans ce document ?
1. un festival
2. un concours
3. un film

b. À quelle date se déroule l'évènement ?

c. Qu'est-ce que doivent réaliser les élèves et leurs professeurs ?
1. un journal.
2. une émission de radio.
3. une vidéo.

d. Qui décidera du vainqueur ?

e. Les vainqueurs remporteront un chèque de :
1. 50 €.
2. 150 €.
3. 250 €.

2

1

BANQUE — cinquante euros — 50 — M. DUPOND, 121 RUE SPECIMEN, 75 015 PARIS

3

BANQUE — deux cent cinquante euros — 250 — M. MARTIN, 123 RUE SPECIMEN, 75 015 PARIS

Compréhension écrite

Lisez le document et associez chaque personne au métier qui convient.

a. Laura a une chaine YouTube.
b. Charlotte parle français et anglais.
c. Enzo joue dans un orchestre.
d. Juan n'aime pas rester tout le temps à l'intérieur.

Ingénieur agronome

Il améliore la production des produits agricoles. Il travaille dans un laboratoire et il va aussi sur le terrain, dans la nature.

1

Contrôleur aérien

Il surveille et organise la circulation des avions. Il doit être concentré et parler plusieurs langues.

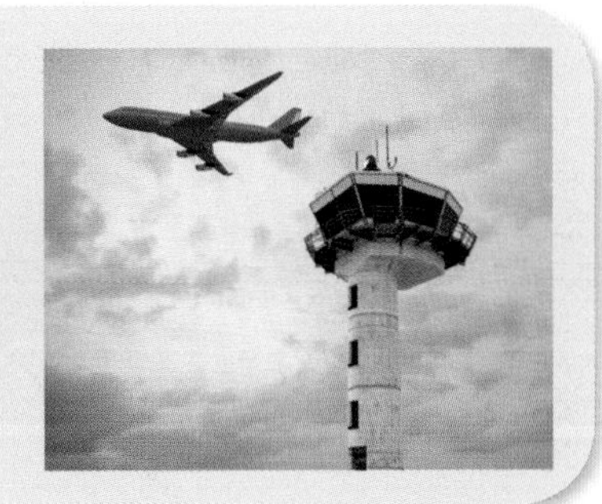

2

Community manager

C'est un expert des réseaux sociaux. Il développe l'image d'une société ou d'une association sur Internet. Il rassemble des internautes autour d'un projet, d'une marque...

3

Professeur de musique

Il travaille dans une école ou au conservatoire. Il enseigne la musique, les instruments et le chant.

4

Production orale

▶ Entretien dirigé

Vous répondez aux questions de l'examinateur.
- Quel métier tu veux faire plus tard ?
- Pourquoi tu veux faire ce métier ?
- Dans quel secteur tu veux travailler ?

▶ Exercice en interaction

Un(e) ami(e) va commencer un stage dans une entreprise. Il vous demande des conseils sur le look à avoir le premier jour. Est-ce qu'il doit cacher ses tatouages et enlever ses piercings ? Vous lui donner des conseils et votre opinion.

Production écrite

Vous avez été témoin d'un fait divers, d'une scène inhabituelle dans la rue, au lycée. Vous racontez la scène dans un court article.

Précis de grammaire

Les articles

▶ Les articles définis

On utilise les articles définis pour parler d'une chose, d'une personne identifiée.

	Masculin	Féminin
SINGULIER	le/l'*	la/l'*
PLURIEL	les	les

** « le » et « la » deviennent « l' » devant une voyelle ou un « h » muet.*

▶ Les articles indéfinis

On utilise les articles indéfinis pour parler d'une chose, d'une personne non identifiée.

	Masculin	Féminin
SINGULIER	un	une
PLURIEL	des	

▶ Les articles contractés

Ils se forment à partir d'une préposition et d'un article.

Ils mangent au restaurant. à + le → au
Elle vient du centre commercial. de + le → du
Il parle aux animaux ! à + les → aux
Je parle des amis de Théo. de + les → des

! Attention, tous les articles ne se contractent pas !

Il va à la plage à + la → à la
On se retrouve à l'intérieur. à + l' → à l'
Il vient de la salle de sport. de + la → de la
Tu parles de l'amie de Tom ? de + l' → de l'

Il parle aux animaux.

Les noms

▶ Le pluriel des noms

En général, on ajoute un « s » pour former le pluriel d'un nom.

un homme → *des hommes*
une personne → *des personnes*
la famille → *les familles*

Il existe beaucoup d'exceptions.

• On ajoute un « x » aux noms qui se terminent par « au », « eau », « eu ».

Un tableau → *des tableaux*
le milieu → *les milieux*

• Quand le nom se termine par « s » ou « x » au singulier, il ne change pas au pluriel.

une souris → *des souris*
un paresseux → *des paresseux*

• Les noms en « al » font leur pluriel en « aux ».

un journal → *des journaux*

Deux souris

Les adjectifs qualificatifs

▶ Le féminin des adjectifs

• Pour former le féminin des adjectifs réguliers, on ajoute un « e » final.
Il est joli. → Elle est jolie.

! Parfois, il faut aussi doubler la consonne finale.
bon → bonne, gentil → gentille, nu → nulle..., ancien → ancienne..., bas → basse...

• Quand l'adjectif au masculin se termine déjà par « e », le féminin ne change pas.
Il est sage. → Elle est sage.

• Il existe beaucoup d'exceptions.
beau → belle ; blanc → blanche ; nouveau → nouvelle ; long → longue ; curieux → curieuse ; vieux → vieille ; neuf → neuve...

▶ Le pluriel des adjectifs

• Pour former le pluriel des adjectifs, on ajoute un « s » final à l'adjectif au singulier (féminin ou masculin).
Il est intelligent. → Ils sont intelligents.
Elle est bavarde. → Elles sont bavardes.

Il existe beaucoup d'exceptions.
• Pour former le pluriel des adjectifs en « eau », on ajoute un « x ».
*Il est **beau**. → Ils sont **beaux**.*
*Il est nouv**eau**. → Ils sont nouv**eaux**.*

• Les adjectifs en « aux » font leur pluriel en « al ».
Il est original. → Ils sont originaux.

• Quand l'adjectif se termine par « s » ou « x » au singulier, le pluriel ne change pas.
Il est heureux. → Ils sont heureux.
Il est précis. → ils sont précis.

▶ Les adjectifs possessifs

Personne qui possède	Singulier		Pluriel Masculin/Féminin
	Masculin	Féminin	
je	mon père	ma mère	mes parents / mes amies
tu	ton frère	ta sœur	tes frères / tes sœurs
il/elle	son fils	sa fille	ses fils / ses filles
nous	notre ami	notre amie	nos amis / nos amies
vous	votre mari	votre femme	vos maris / vos femmes
ils/elles	leur fils	leur fille	leurs enfants / leurs familles

*Devant une voyelle « ma », « ta », « so » deviennent « mon », « ton », « son » : **son** amie.*

▶ L'adjectif indéfini « tout »

Il exprime en général une quantité. Il s'accorde avec le nom qu'il accompagne.

	Masculin	Féminin
SINGULIER	tout	toute
PLURIEL	tous	toutes

Tout le monde a bien mangé.
*J'ai fini **toute** mon assiette.*

Précis de grammaire

Les adverbes

Ils donnent des informations sur le verbe. Généralement, on place les adverbes après le verbe conjugué.
*Je **travaille** toujours le soir.*
*Je **dois** toujours travailler le soir.*

! Au passé composé on place l'adverbe entre « être » ou « avoir » et le participe passé.
*J'**ai** toujours **travaillé** le soir.*

« Pourquoi » et « parce que »

• « Pourquoi » sert à poser une question.
Pourquoi tu achètes de la farine ?

• On utilise « parce que » pour répondre à une question introduite par « pourquoi ».
Parce que je vais faire un gâteau.

Les pronoms

▶ Les pronoms toniques

• En début de phrase, le pronom tonique sert à insister.
Moi, je ne suis pas d'accord.
Toi, tu te tais.

• On peut l'utiliser seul.
Moi !

• On peut l'utiliser après « c'est » / « ce sont ».
C'est elle !
Ce sont eux !

• On l'utilise aussi après certaines prépositions.
Lisa va chez toi.
Paul travaille avec lui.

Pronoms sujets	Pronoms toniques
je	moi
tu	toi
il / elle	lui / elle
nous	nous
vous	vous
ils / elles	eux / elles

▶ Le pronom « y »

Le pronom « y » remplace un lieu.
Je vais à Paris. J'y vais avec mes amis → *y = à Paris*
Tu as déjeuné dans un café. Tu y as vu Stefano → *y = dans un café*
Elle vit en France. Elle y vit depuis deux ans. → *y = en France*

▶ Le pronom « en »

Il sert à remplacer un nom introduit par un article partitif (*du, de la, de l', du*) ou un article indéfini (*un, une, des*).
Il remplace des quantités déterminées ou indéterminées.
– Tu veux du lait ? – Oui j'en veux.
– Il y a de la confiture ? – Non, il n'y en a pas.

! Quand la quantité est déterminée, il ne faut pas oublier de répéter la quantité après le verbe.
– Tu veux du lait ? – Oui j'en veux.
– Tu achètes des pommes ? – Oui, j'en achète et j'en mange une tout de suite.

▶ Les pronoms compléments « le », « la », « les »

• Ils permettent d'éviter la répétition d'un complément d'objet direct.

MASCULIN	FÉMININ	PLURIEL
le/l'*	la/l'*	les

** « le » et « la » devient « l' » devant une voyelle ou un « h » muet.*

• Ils se placent avant le verbe ou l'auxiliaire au passé composé.
*Vous étalez **la pâte**. → Vous l'**étalez**.*
*Vous versez **le mélange**. → Vous le **versez**.*
*Vous coupez **les parts**. → Vous les **coupez**.*

• Quand le verbe est à l'impératif, le pronom se place après le verbe.
On ajoute un « - » entre le verbe et le pronom complément.
Versez-la.
Étalez-le.

▶ Les pronoms compléments « lui », « leur »

Ils remplacent des noms de personnes précédés des prépositions « à », « au », « aux ».
Ils s'utilisent principalement avec des verbes de communication : *demander, parler, téléphoner, raconter, dire, donner, envoyer...*
*Elle **écrit au** journaliste. → Elle lui écrit un message.*
*Il **demande aux** internautes. → Il leur demande.*

▶ Les pronoms relatifs « qui », « que », « où »

On utilise les pronoms relatifs pour unir deux phrases et éviter les répétitions.
• *Qui* remplace un sujet.
Le film qui sort demain est un film d'horreur.
• *Que* remplace un complément d'objet direct (COD).
Le football est l'activité que je préfère.
• *Où* remplace un complément de temps ou de lieu.
Le lieu où je m'entraîne est près de chez moi.

Le complément du nom

Il permet de donner des précisions sur un nom.
Il est introduit par une préposition : « à », « en », « de »...
- *Un plat à gratin*
- *Un plat en terre*
- *Un jaune d'œuf*

Un jaune d'œuf.

Les prépositions de lieu

• Devant un nom de ville, on utilise « à ».
Nous habitons à Tanger.
Ils habitent à Amsterdam.

• Devant un nom de pays masculin, on utilise « au ».
Je vais au Portugal.

• Devant un nom de pays masculin pluriel, on utilise « aux ».
Elle est partie aux Pays-Bas.

• Devant un nom de pays féminin, on utilise « en ».
Lucile habite en France.

Précis de grammaire

Après le verbe « venir », on utilise « de », « du », « d' ».
• Devant un nom de pays féminin ou une ville, on utilise « de ».
Je viens de Roumanie, de Bucarest.

• Devant un nom de pays masculin, on utilise « du ».
Elles viennent du Pakistan.

! *de* et *du* deviennent *d'* devant une voyelle.
Vous venez d'Algérie ou d'Angkor ?

La quantité

▶ La quantité indéterminée

Pour indiquer une quantité indéterminée, on utilise des articles partitifs.

	Masculin	Masculin
Singulier	du chocolat	de la farine
Pluriel	des œufs	des amandes

! À la forme négative, les articles partitifs se modifient.
Il y a du chocolat. → *Il **n'**y a **pas** de chocolat.*
Il y a de la farine. → *Il **n'**y a **pas** de farine.*
Il y a des œufs. → *Il **n'**y a **pas** d'œuf.*

▶ La quantité déterminée

Pour indiquer une quantité indéterminée, on utilise :
– des chiffres : *un, une, deux, quatre...*
Il y a une pomme et quatre carottes.
– des unités de mesure : *100 grammes, 1 kilo, 3 litres...*
Il faut 225 grammes de chocolat.
– des contenants : *un paquet, une boîte...*
J'ai un paquet de farine.

Il y a une pomme et quatre carottes.

Les indicateurs de temps

• Pour indiquer le début d'une action qui continue dans le présent, on utilise « depuis ».
Depuis deux ans, les jeunes s'informent sur Internet.

• Pour indiquer le temps écoulé entre la fin d'une action et le présent, on utilise « il y a. »
Il y a 6 mois, la fusée Soyouz a décollé.

• Pour indiquer une durée déterminée, on utilise « pendant » ou « du ... au ».
Pendant sa mission, il est sorti dans l'espace.
Du 17 novembre au 6 juin, Thomas Pesquet a voyagé dans l'espace.

• Pour indiquer le temps nécessaire pour accomplir une action, on utilise « en ».
En quelques années, les choses ont changé.

L'interrogation

Il y a plusieurs manières de poser une question.
• On peut utiliser l'intonation montante (↗).
C'est votre animal préféré ?

• On peut inverser le sujet et le verbe.
Sont-ils sérieux ?

! Si le verbe se termine par une voyelle et si le sujet commence par une voyelle, on ajoute « -t- » entre le verbe et le sujet.
*A-**t**-il une préférence ?*

• On peut utiliser des pronoms interrogatifs (*qui, que, quand, quoi, où, pourquoi*).

Qui est en retard ? — *Quand as-tu cours de sport ?*
Que fais-tu ? — *Où ils habitent ?*

• On peut utiliser des adjectifs interrogatifs.

Quel est votre animal préféré ? — *quel* **+ nom masculin singulier**
Quels sont vos défauts ? — *quels* **+ nom masculin pluriel**
Quelle est votre matière préférée ? — *quelle* **+ nom féminin singulier**
Quelles sont vos qualités ? — *quelles* **+ nom féminin pluriel**

La négation

• Pour former une phrase négative, on utilise généralement « ne… pas ».
Je ne pratique pas d'activités.

• Il existe d'autres possibilités pour indiquer la négation.

Je ne vais jamais au cinéma. (≠ toujours)
Nous ne connaissons personne. (≠ tout le monde, quelqu'un)
Ils ne vont plus au bowling. (≠ encore)
Il ne fait rien. (≠ quelque chose)

! Attention à la place des éléments avec le passé composé.
*Je **ne** suis **jamais** allé au théâtre.*

L'obligation et l'interdiction : « il faut », « il ne faut pas »

• Pour exprimer une obligation on utilise « il faut » + verbe à l'infinitif.
*Il faut **acheter** des fruits.*
*Il faut **couper** les légumes en petits morceaux.*

• Pour exprimer une interdiction on utilise l'expression : *il **ne** faut **pas*** + verbe à l'infinitif
*Il **ne** faut **pas** monter les œufs en neige.*
*Il **ne** faut **pas** mélanger les ingrédients.*

Les comparatifs

• Devant un adjectif, pour comparer, on utilise « plus » (+), « aussi/autant » (=) ou « moins » (–) + « que ».
Le cirque est plus/aussi/moins difficile que le hip-hop.
Les jeunes jouent plus/autant/moins qu'avant.

• Devant un nom, pour comparer, on utilise « plus/plus de… que » (+), « autant/autant de… que » (=), « moins/moins de… que » (–).
Il y a plus/autant/moins de place pour l'activité cirque que pour l'activité musique.

! Certains comparatifs sont irréguliers.
bon → meilleur ; bien → mieux ; mal → pire ; mauvais → pire

Précis de grammaire

Les superlatifs

Les superlatifs servent à caractériser une chose ou une personne, à mettre en valeur son caractère unique par rapport aux autres.
Pour former le superlatif, on ajoute *le/la/les* + *plus/moins* + adjectif ou adverbe ou « nom + de. »
Le rap est la musique la plus écoutée en France.
C'est Paul qui écoute David Guetta le moins souvent.
C'est aux États-Unis que l'on écoute le plus de musique française.

! Certains superlatifs sont irréguliers.
bon → *le/la meilleur(e), les meilleurs*
bien → *le/la/les mieux*
mauvais → *le/la/les pire(s)*

La condition

Condition	Résultat
Si + verbe au présent de l'indicatif	verbe au présent verbe au futur simple verbe à l'impératif

« Si » devient « s' » devant « il(s) ».
*Si tu **as** un diplôme, tu **as** plus de chance de trouver un travail.*
*Nous **arriverons** à l'heure, si notre avion n'**est** pas en retard.*
*Si vous **partez** à l›étranger, **téléphonez**-moi !*

Le discours rapporté

Il permet de rapporter les paroles d'une personne.
- Pour une phrase affirmative : verbe introducteur + *que* + paroles à rapporter.

Paul : Je suis en retard.
→ *Paul dit qu'il est en retard.*
- Pour une phrase interrogative : verbe introducteur + *si* + paroles à rapporter.

Jeanne : Est-ce que Paul vient ?
→ *Jeanne demande si Paul vient.*
- Quelques verbes introducteurs : *dire, répondre, penser, ajouter, expliquer...*

Conjugaison

Le présent progressif

Il est utilisé pour parler d'une action au présent dans sa continuité.

Le présent progressif se forme avec
être au présent + *en train de* + verbe à l'infinitif

*Gaspar est en train de **faire** une bûche de Noël.*

Le passé récent

Il est utilisé pour parler d'une action récente qui s'est produite juste avant le moment où l'on parle.

Le passé récent se forme avec
venir + *de* au présent + verbe à l'infinitif

*Je viens de **finir** ms devoirs.*
*Elle vient d'**appeler** se parents.*
*Ils viennent de **partir**.*

Le futur proche

Il est utilisé pour parler d'une action future, proche du présent

Le futur proche se forme avec
aller au présent + verbe à l'infinitif

*Je vais **chercher** des photos de famille.*
*Elle va **voir** ses idoles.*

Le présent à valeur de futur

Le présent à valeur de futur est accompagné d'une indication de temps. Il est utilisé pour une action qui va bientôt se passer ou une action qui se répète dans le futur.
*Vendredi, j'**ai** rendez-vous avec mes amis.*
*Demain on **va** au cinéma.*
*Ce soir, le film **commence** à 20 h 30.*
*Samedi prochain, comme tous les samedis, j'**ai** rendez-vous avec mes amis.*

L'accord du participe passé

• Avec « avoir » le participe passé ne s'accorde pas, en général, avec le sujet.
*Nous avons pique-niqu**é**.*
• Avec « être », le participe passé s'accorde avec le sujet.
Le sujet est au masculin pluriel, on ajoute « s » au participe passé.
Le sujet est féminin singulier, on ajoute « e » au participe passé.
Le sujet est féminin pluriel, on ajoute « es » au participe passé.
*Nous sommes retourn**és** au musée du Louvre.*
*Elle est parti**e** en vacances.*
*Elles sont all**ées** à la tour Eiffel.*

Conjugaison

Les temps du passé : imparfait ou passé composé

• On utilise l'imparfait pour les descriptions, pour parler de ses habitudes.
Je vivais au Kenya.
Le matin, mon père partait travailler.

• On utilise le passé composé pour des actions délimitées dans le temps ou qui ne durent pas.
Un jour, mon père a annoncé une grande nouvelle.
Nous avons rencontré un tigre.

Les verbes pronominaux

• Ils se caractérisent par la présence d'un pronom personnel avant le verbe. Le pronom change avec les personnes.
Nous nous habillons.
je me lève ; tu te lèves ; il se lève ; nous nous levons, vous vous levez ; elles se lèvent

• Le passé composé des verbes pronominaux se forme toujours avec « être ».
En général, on fait l'accord du participe passé avec le sujet
Je me suis baladé, nous nous sommes promenés, elles se sont amusées...

• À l'impératif, le pronom se place après le verbe. On utilise « – » et les pronoms toi, nous, vous.
Se lever → *Lève-toi !*
S'informer → *Informons-nous !*
Se regarder → *Regardez-vous !*

L'impératif négatif

Le verbe est encadré par la négation.
ne + verbe + pas
***Ne** mange **pas** !*
***Ne** parlez **pas** !*

Les verbes *pouvoir, devoir, vouloir, savoir*

Ils sont toujours suivis d'un verbe à l'infinitif.
• *Je peux **trouver** une solution.* → *pouvoir exprime la possibilité.*
• *Elle veut **travailler** dans les services secrets.* → *vouloir exprime la volonté.*
• *Vous devez **connaître** des langues étrangères.* → *devoir exprime l'obligation.*
• *Tu sais **parler** chinois.* → *savoir exprime la connaissance.*

Les auxiliaires

	Présent	Imparfait	Passé composé	Futur	Impératif
avoir	j'ai tu as il/elle a nous avons vous avez ils/elles ont	j'avais tu avais il/elle avait nous avions vous aviez ils/elles avaient	j'ai eu tu as eu il/elle a eu nous avons eu vous avez eu ils/elles ont eu	j'aurai tu auras il/elle aura nous aurons vous aurez ils/elles auront	aie ayons ayez
être	je suis tu es il/elle est nous sommes vous êtes ils/elles sont	j'étais tu étais il/elle était nous étions vous étiez ils/elles étaient	j'ai été tu as été il/elle a été nous avons été vous avez été ils/elles ont été	je serai tu seras il/elle sera nous serons vous serez ils/elles seront	sois soyons soyez

Les verbes en *-er*

	Présent	Imparfait	Passé composé	Futur	Impératif
acheter	j'achète tu achètes il/elle achète nous achetons vous achetez ils achètent	j'achetais tu achetais il/elle achetait nous achetions vous achetiez ils/elles achetaient	j'ai acheté tu as acheté il/elle a acheté nous avons acheté vous avez acheté ils/elles ont acheté	j'achèterai tu achèteras il/elle achètera nous achèterons vous achèterez ils/elles achèteront	achète achetons achetez
aller	je vais tu vas il/elle va nous allons vous allez ils/elles vont	j'allais tu allais il/elle allait nous allions vous alliez ils/elles allaient	je suis allé(e) tu es allé(e) il/elle est allé(e) nous sommes allé(e)s vous êtes allé(e)(s) ils/elles sont allé(e)s	j'irai tu iras il/elle ira nous irons vous irez ils/elles iront	va allons allez
appeler	j'appelle tu appelles il/elle appelle nous appelons vous appelez ils/elles appellent	j'appelais tu appelais il/elle appelait nous appelions vous appeliez ils/elles appelaient	j'ai appelé tu as appelé il/elle a appelé nous avons appelé vous avez appelé ils/elles ont appelé	j'appellerai tu appelleras il/elle appellera nous appellerons vous appellerez ils/elles appelleront	appelle appelons appelez
manger	je mange tu manges il/elle mange nous mangeons vous mangez ils/elles mangent	je mangeais tu mangeais il/elle mangeait nous mangions vous mangiez ils/elles mangeaient	j'ai mangé tu as mangé il/elle a mangé nous avons mangé vous avez mangé ils/elles ont mangé	je mangerai tu mangeras il/elle mangera nous mangerons vous mangerez ils/elles mangeront	mange mangeons mangez
parler	je parle tu parles il/elle parle nous parlons vous parlez ils/elles parlent	je parlais tu parlais il/elle parlait nous parlions vous parliez ils/elles parlaient	j'ai parlé tu as parlé il/elle a parlé nous avons parlé vous avez parlé ils/elles ont parlé	je parlerai tu parleras il/elle parlera nous parlerons vous parlerez ils/elles parleront	parle parlons parlez
payer	je paie / paye tu pais / payes il/elle paie / paye nous payons vous payez ils/elles paient / payent	je payais tu payais il/elle payait nous payions vous payiez ils/elles payaient	j'ai payé tu as payé il/elle a payé nous avons payé vous avez payé ils/elles ont payé	je paierai / payerai tu paieras / payeras il paiera / payera nous paierons / payerons vous paierez / payerez ils/elles paieront / payeront	paie / paye payons payez
préférer	je préfère tu préfères il/elle préfère nous préférons vous préférez ils/elles préfèrent	je préférais tu préférais il/elle préférait nous préférions vous préfériez ils/elles préféraient	j'ai préféré tu as préféré il/elle a préféré nous avons préféré vous avez préféré ils/elles ont préféré	je préférerai tu préféreras il/elle préférera nous préférerons vous préférerez ils/elles préféreront	préfère préférons préférez

Conjugaison

Les verbes en *-ir*

	Présent	Imparfait	Passé composé	Futur	Impératif
finir	je finis tu finis il/elle finit nous finissons vous finissez ils/elles finissent	je finissais tu finissais il/elle finissait nous finissions vous finissiez ils/elles finissaient	j'ai fini tu as fini il/elle a fini nous avons fini vous avez fini ils/elles ont fini	je finirai tu finiras il/elle finira nous finirons vous finirez ils/elles finiront	finis finissons finissez
ouvrir	j'ouvre tu ouvres il/elle ouvre nous ouvrons vous ouvrez ils/elles ouvrent	j'ouvrais tu ouvrais il/elle ouvrait nous ouvrions vous ouvriez ils/elles ouvraient	j'ai ouvert tu as ouvert il/elle a ouvert nous avons ouvert vous avez ouvert ils/elles ont ouvert	j'ouvrirai tu ouvriras il/elle ouvrira nous ouvrirons vous ouvrirez ils/elles ouvriront	ouvre ouvrons ouvrez
venir	je viens tu viens il/elle vient nous venons vous venez ils/elles viennent	je venais tu venais il/elle venait nous venions vous veniez ils/elles venaient	je suis venu(e) tu es venu(e) il/elle est venu(e) nous sommes venu(e)s vous êtes venu(e)(s) ils/elles sont venu(e)s	je viendrai tu viendras il viendra nous viendrons vous viendrez ils/elles viendront	viens venons venez

Les verbes en *-oir/-oire*

	Présent	Imparfait	Passé composé	Futur	Impératif
boire	je bois tu bois il/elle boit nous buvons vous buvez ils/elles boivent	je buvais tu buvais il/elle buvait nous buvions vous buviez ils/elles buvaient	j'ai bu tu as bu il/elle a bu nous avons bu vous avez bu ils/elles ont bu	je boirai tu boiras il/elle boira nous boirons vous boirez ils/elles boiront	bois buvons buvez
croire	je crois tu crois il/elle croit nous croyons vous croyez ils/elles croient	je croyais tu croyais il/elle croyait nous croyions vous croyiez ils/elles croyaient	j'ai cru tu as cru il/elle a cru nous avons cru vous avez cru ils/elles ont cru	je croirai tu croiras il/elle croira nous croirons vous croirez ils/elles croiront	crois croyons croyez
devoir	je dois tu dois il/elle doit nous devons vous devez ils/elles doivent	je devais tu devais il/elle devait nous devions vous deviez ils/elles devaient	j'ai dû tu as dû il/elle a dû nous avons dû vous avez dû ils/elles ont dû	je devrai tu devras il/elle devra nous devrons vous devrez ils/elles devront	–
falloir	il faut	il fallait	il a fallu	il faudra	–
pouvoir	je peux tu peux il/elle peut nous pouvons vous pouvez ils/elles peuvent	je pouvais tu pouvais il/elle pouvait nous pouvions vous pouviez ils/elles pouvaient	j'ai pu tu as pu il/elle a pu nous avons pu vous avez pu ils/elles ont pu	je pourrai tu pourras il pourra nous pourrons vous pourrez ils/elles pourront	–
savoir	je sais tu sais il/elle sait nous savons vous savez ils/elles savent	je savais tu savais il/elle savait nous savions vous saviez ils/elles savaient	j'ai su tu as su il/elle a su nous avons su vous avez su ils/elles ont su	je saurai tu sauras il saura nous saurons vous saurez ils/elles sauront	sache sachons sachez
voir	je vois tu vois il/elle voit nous voyons vous voyez ils/elles voient	je voyais tu voyais il/elle voyait nous voyions vous voyiez ils/elles voyaient	j'ai vu tu as vu il/elle a vu nous avons vu vous avez vu ils/elles ont vu	je verrai tu verras il/elle verra nous verrons vous verrez ils/elles verront	vois voyons voyez

	Présent	Imparfait	Passé composé	Futur	Impératif
vouloir	je veux tu veux il/elle veut nous voulons vous voulez ils/elles veulent	je voulais tu voulais il/elle voulait nous voulions vous vouliez ils/elles voulaient	j'ai voulu tu as voulu il/elle a voulu nous avons voulu vous avez voulu ils/elles ont voulu	je voudrai tu voudras il voudra nous voudrons vous voudrez ils/elles voudront	–

Les verbes en *-re*

	Présent	Imparfait	Passé composé	Futur	Impératif
apprendre	j'apprends tu apprends il/elle apprend nous apprenons vous apprenez ils/elles apprennent	j'apprenais tu apprenais il/elle apprenait nous apprenions vous appreniez ils/elles apprenaient	j'ai appris tu as appris il/elle a appris nous avons appris vous avez appris ils/elles ont appris	j'apprendrai tu apprendras il/elle apprendra nous apprendrons vous apprendrez ils/elles apprendront	apprends apprenons apprenez
connaître	je connais tu connais il/elle connaît nous connaissons vous connaissez ils/elles connaissent	je connaissais tu connaissais il/elle connaissait nous connaissions vous connaissiez ils/elles connaissaient	j'ai connu tu as connu il/elle a connu nous avons connu vous avez connu ils/elles ont connu	je connaîtrai tu connaîtras il/elle connaîtra nous connaîtrons vous connaîtrez ils/elles connaîtront	connais connaissons connaissez
dire	je dis tu dis il/elle dit nous disons vous dites ils/elles disent	je disais tu disais il/elle disait nous disions vous disiez ils/elles disaient	j'ai dit tu as dit il/elle a dit nous avons dit vous avez dit ils/elles ont dit	je dirai tu diras il/elle dira nous dirons vous direz ils/elles diront	dis disons dites
écrire	j'écris tu écris il/elle écrit nous écrivons vous écrivez ils/elles écrivent	j'écrivais tu écrivais il/elle écrivait nous écrivions vous écriviez ils/elles écrivaient	j'ai écrit tu as écrit il/elle a écrit nous avons écrit vous avez écrit ils/elles ont écrit	j'écrirai tu écriras il/elle écrira nous écrirons vous écrirez ils/elles écriront	écris écrivons écrivez
faire	je fais tu fais il/elle fait nous faisons vous faites ils/elles font	je faisais tu faisais il/elle faisait nous faisions vous faisiez ils/elles faisaient	j'ai fait tu as fait il/elle a fait nous avons fait vous avez fait ils/elles ont faut	je ferai tu feras il/elle fera nous ferons vous ferez ils/elles feront	fais faisons faites
mettre	je mets tu mets il/elle met nous mettons vous mettez ils/elles mettent	je mettais tu mettais il/elle mettait nous mettions vous mettiez ils/elles mettaient	j'ai mis tu as mis il/elle a mis nous avons mis vous avez mis ils/elles ont mis	je mettrai tu mettras il/elle mettra nous mettrons vous mettrez ils/elles mettront	mets mettons mettez
prendre	je prends tu prends il/elle prend nous prenons vous prenez ils/elles prennent	je prenais tu prenais il/elle prenait nous prenions vous preniez ils/elles prenaient	j'ai pris tu as pris il/elle a pris nous avons pris vous avez pris ils/elles ont pris	je prendrai tu prendras il/elle prendra nous prendrons vous prendrez ils/elles prendront	prends prenons prenez

Lexique

Unité 1

adorer
aimer
anglais, l'
animal, un / animaux, des
animal de compagnie, un
bavard(e)
c'est dommage
c'est sympa
centre commercial, un
centre, le
centre-ville, un
chaque week-end
chat, un
chien, un
chimie, la
circulation, la
cochon, un
comportement, un
concentré(e)
date, une
de ... heures à ... heures
détester
dock, un
donner une date, un horaire
du samedi au dimanche
durant ... heures
éducation physique et sportive, l' (EPS)
enfant, un
être désolé(e)
être en retard
exprimer ses goûts
famille, une
femme, une
fille, une
fils, un
français, le
frère, un
géographie, la
goût, un
histoire, l'
horaire, un
lapin, un
les ... et ... septembre
mari, un
mathématiques, les (les maths)
matière, une
mère, une
non stop
parents, les
père, un
physique, la
pipelette, une
port, un
préférence, une
préférer
reptile, un
science, la
sciences de la vie et de la terre, les (SVT)
sérieux / sérieuse
singe, un
sœur, une
sport, un
spot, un
tortue, une
ville, une

Unité 2

aller à pied, à vélo, en bus, en métro
araignée, une
arriver
au bord de
boulodrome, un
bus, un
c'est à 5 minutes
chemin, un
comprendre (*Je n'ai pas compris.*)
continuer
dans
d'en haut
déplacer (se)
descendre
droite (à)
faune, la
forêt, une
gauche (à)
île, une
indiquer un chemin
jungle, la
jusqu'à
le long de/du
lémurien, un
loisirs, un
mangrove, une
montagne, une
monter à/au...
oiseau, un
parc aquatique, un
pardon
partir de
paysage, un
ping-pong, le

piscine, une
plage, une
poisson, un
prendre la 2e rue
promener (se)
rentrer
répéter (*Vous pouvez répéter ?*)
restaurant, un
rizière, une
savane, la
serpent, un
situer
skate-park, un
sur
toboggan, un
tout droit
traverser
volcan, un

Unité 3

à mon avis
abîmé(e)
adorer
aimer
ajouter
avoir horreur de
beaucoup
boisson, une
boîte, une
bouquet, un
carotte, une
chocolat, le
considérer que
couper
d'abord
déchet, un
défraîchi(e)
délicieux / délicieuse
détester
donner son avis
enfin
enfourner
ensuite
étaler
farine, la
gâchis, un
gaspillage, un
gaspillage alimentaire, le
gaspiller
gingembre, le
gramme (g), un
ingrédient de base, un
jeter
jus de fruit, un
kilo (kg), un
lait, le
litre (l), un
lutte, une
lutter
mauvais(e)
mélanger
mettre
monter
œuf, un
parler de
penser que
politique
pomme, une
pour finir
pour moi
puis
quantité, une
rassis
réaliser une recette
reste, un
rouler
sac, un
selon moi
séparer
sucre, le
verser

Unité 4

... fois par semaine / par jour
activité, une
après
après-demain
avant
basket, le
bibliothèque, une
BMX, le
bowling, le
ça te dirait... ?
cinéma, un
dans une semaine, un mois...
de temps en temps
demain
football, le (le foot)
fréquence, une
handball, le (le hand)

Lexique

jamais
futur, le
musique, la
parfois
pendant les vacances
proposer
quelquefois
rarement
répétition, une
roller, le
samedi prochain
semaine, une
skate, le
souvent
tennis, le
toujours
tous les jours
tu pourrais, on pourrait
week-end, un

Unité 5

actualité, une (internationale, politique, culturelle…)
alors
angoisse, l'
avoir confiance en soi
avoir peur (la peur)
breveter
catastrophe naturelle, une
chronologie, une
concours, un
content(e)
crainte, la
culturel
cyclone, un
détruit(e)
développer
donc
être à l'honneur
être content(e)
être détruit(e)
être inquiet / inquiète
être représenté(e) par
être stressé(e)
être terrifié(e)
fait divers, un
fier / fière
finaliste, un(e)
information, une
informer (s')
innovation, une
inondation, une
inquiet / inquiète
intense
intérêt, un
international(e)
inventeur, un / inventrice, une
invention, une
journal télévisé, un
journal, un (des journaux)
média, un
mention spéciale, une
organiser
participer à un concours
peur, la
pluie, la
politique, la
prix, un (*le premier prix, le deuxième prix…*)
prototype, un
radio, la
rassembler
récit, un
reconnaissance, une
regarder
réseaux sociaux, les
sentiment, un
sinistré(e), un(e)
sport, le
stressé(e)
succès, un
télévision, la (la télé)
tempête, une
terrible
terrifié(e)
tout d'abord
trac, le
vainqueur(e), un(e)
vent, le
violent(e)

Unité 6

adapter (s')
autonome
autonomie, une
avocat(e), un(e)
avoir bon / mauvais goût
avoir l'air (in)confortable
baccalauréat, le (le bac)
boulanger, un / boulangère, une
ça m'a tenté de
coiffeur, un / coiffeuse, une

compétence, une
confortable
conseiller de
curieux / curiseuse
désintérêt, le
devoir
école préparatoire, une
empathie, l'
encourager
équipe, une
être à l'écoute
être autonome
être curieux / curieuse de
être flexible
être méticuleux / méticuleuse
être organisé(e)
être passionné(e)
être patient(e)
être présentable
être sûr(e) (*J'en suis sûr !*)
être / ne pas être à l'aise
étudier / faire des études
filière, une
fleuriste, un(e)
flexible
foncer
garder son sang froid
il vaudrait mieux
inconfortable
infirmier, un / infirmière, une
intégrer
intéresser
intérêt, un
le métier de ... m'intéresse
licence, une
lycée, un
médecin, un
méticuleux / méticuleuse
métier, un
organisé(e)
orienter (s')
parcours, un
parler une langue étrangère
passion, une
passionné(e)
patience, la
patient(e)
plaire
présentable
professionnelle
qualité, une
réorienter (se)
rien ne m'intéresse
rien ne me plaît
si j'étais toi
sûr(e)
tenue vestimentaire, une
travailler en autonomie
travailler en équipe
trouver intéressant de...
tu vas y arriver
vas-y

Transcriptions

Unité 1

▸ Leçon 1

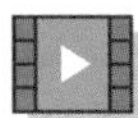 **page 8, vidéo 1**

Portraits
• La retardataire
Élève : Bonjour, excusez-moi... Je suis désolée. Je suis en retard. Mais ce n'est pas de ma faute. C'est le bus, heu... mon réveil... On fait quoi ? C'est quelle page ?
Voix off : Elle n'est jamais à l'heure, mais elle a toujours de bonnes excuses ! Elle est toujours en retard. C'est la retardataire.
• Le premier de la classe
Élève : Si (AB) au carré est égal à (AC) au carré plus (BC) au carré alors le triangle est rectangle. Mais comme (BC) est différent de (AC) et que la propriété du triangle rectangle...
Madame, j'ai la réponse. C'est très simple.
Voix off : Il est intelligent et sérieux. Il travaille beaucoup. C'est le premier de la classe.
• La bavarde
Élève : Pssst, Vanessa, regarde mon nouveau pull ! Il est beau, tu ne trouves pas. C'est un cadeau de ma tante.
Eh ! Samedi on va au Macdo et au ciné ? Oui, le film d'horreur avec le clown. ... Le titre du film c'est *Ça* .
Professeur : Silence !
Voix off : Elle parle tout le temps. Elle a toujours quelque chose à dire. Une vraie pipelette ! Elle est bavarde.
• L'agité
Élève : Tu me passes une feuille. Ah zut, mon stylo est tombé. Monsieur, je peux sortir ? Je voudrais aller aux toilettes !
Professeur : Non, tu attends la fin du cours.
Voix off : Il s'agite en permanence. Il ne reste pas 5 minutes en place. Il est fatigant. Quel agité !
• L'étourdie
Élève : Zut, je n'ai pas mon livre de math. Ah, on a un contrôle aujourd'hui ? Ce n'est pas demain ? Ce n'est pas grave, je connais bien la leçon. Ah là, là, mais je n'ai pas ma calculatrice...
Voix off : Elle oublie ses affaires, se trompe de jours, de salle de classe. Quelle étourdie !

 **page 8, activité 3**

Femme : Nous avons proposé le questionnaire de Proust à des lycéens. Écoutez les réponses de Léo.
Homme : Quel est votre principal trait de caractère ?
Léo : Moi, je suis très réfléchi.
Homme : Votre défaut principal ?
Léo : Je suis trop sérieux.
Homme : Votre qualité principale ?
Léo : Je suis curieux. Je m'intéresse à tout.
Homme : Qui est votre héros préféré ?
Léo : Mon héros préféré... Un savant bien sûr, Einstein !
Homme : Qu'est-ce que vous détestez le plus ?
Léo : La paresse
Homme : Votre couleur préférée ?
Léo : Le rouge. C'est une couleur vive.
Homme : Votre animal préféré ?
Léo : L'écureuil.
Homme : Votre mot français préféré ?
Léo : Action ! Moi, j'aime l'action. Je suis toujours actif.

▸ Leçon 2

 **page 11, activité 3**

Les stars et leurs animaux de compagnie : souvent une grande histoire d'amour ! Le couturier français Karl Lagerfeld raconte ; il est « tombé amoureux » de sa chatte Choupette. Il gère avec soin l'image de son animal et sa carrière. Et il prend des dispositions testamentaires en sa faveur. D'autres stars s'affichent, sur les réseaux sociaux notamment, avec leur animal de compagnie. Mais ce n'est pas toujours un chat ou un chien. Le choix est parfois beaucoup plus original ! Rencontre avec les petits protégés des stars.
Leonardo Dicaprio possède une tortue sulcata de 17 kilos. Il achète sa tortue après sa visite en 2010 d'un salon d'éleveur de reptiles. Espérance de vie d'un tel animal : 80 ans !
Pendant 18 ans, George Clooney partage sa vie avec un cochon vietnamien de 136 kilos ! Maintenant l'acteur américain se consacre à ses jumeaux.
Justin Bieber voyage toujours avec son singe Mally. Mais lors d'un déplacement en Europe, les douaniers allemands retiennent l'animal pour absence de papiers en règle. Depuis, Mally vit une vie beaucoup plus calme dans un zoo allemand. Quant à Justin Bieber, il évoque souvent la possibilité d'adopter un autre singe...
Connaissez-vous Cecil Delevingne ? Ce n'est ni une sœur, ni une cousine de la top modèle Cara Delevingne, mais son lapin nain. La mannequin crée un compte pour son animal de compagnie et il fait le buzz des réseaux sociaux.

D'après www.msn.com, « Les étranges animaux domestiques des stars », 02/01/2017.

▸ Leçon 3

 **page 12, activité 1**

Max : Aujourd'hui nous sommes dans le sud de la France, à Marseille avec Cyprien. Bonjour Cyprien.
Cyprien : Salut Max.
Max : Alors Cyprien parle-nous de tes lieux préférés à Marseille.
Cyprien : À Marseille, il fait toujours beau et Marseille est au bord de la mer. Alors avec les copains, on se retrouve souvent à la plage. C'est cool. Il y a plusieurs spots sympas. La Pointe Rouge par exemple. Là-bas, il y a plusieurs clubs de voile. L'inconvénient de la Pointe Rouge : c'est un peu loin du centre-ville. Et à Marseille, il y a beaucoup de circulation.
On se retrouve aussi au vallon des Auffes avec les copains. C'est dans le vieux Marseille. C'est un petit port dans la ville. C'est typique. Et on mange de très bonnes pizzas, *Chez Jeannot*. Et puis c'est pas loin du centre.
Et surtout, il y a le centre commercial « Les terrasses du port ». Il est récent. Il date de 2014. Il est installé dans les anciens docks. En général, le samedi, on se retrouve là-bas avec les copains. Souvent on déjeune sur place. On prend des sandwichs et on s'installe sur le toit. C'est une terrasse aménagée avec des sièges et une vue sur la mer. Parfois, on reste longtemps. On discute, on écoute de la musique... On est ensemble, on est bien. Je passe aussi pas mal de temps à la salle de sport. Elle est dans le centre commercial. Parfois, on fait un peu de shopping, surtout les filles. Je sais c'est un cliché, mais c'est vrai ! Ah et il y a un truc génial.
Max : Ah ? Qu'est-ce que c'est ?
Cyprien : On y va, tu veux ? C'est à 5 minutes.
Max : Ok, c'est parti !
[...]

Cyprien : Voilà c'est ici. Écoute, tu entends la musique ?
Max : Oui, j'aime bien. Qu'est-ce que c'est ?
Cyprien : Je ne sais pas. Mais c'est ça le truc génial. Le soir tu rentres chez toi. Tu vas sur le site Internet des terrasses du port et tu retrouves toutes les musiques diffusées dans la journée.
Max : Pas mal !

page 13, activité 5

Homme : Notre journaliste est parti à la rencontre des visiteurs de Toulouse plages. Écoutez.
Femme : Bonjour, alors qu'est-ce que vous pensez de Toulouse plages ?
Jeune homme : Je viens d'arriver. Je découvre... ça à l'air sympa.
Femme : Merci. Pardon, vous pouvez me donner votre avis sur Toulouse plages ?
Femme : Alors moi, je viens d'emménager à Toulouse et je trouve ça super. En fin de journée, après le travail, on se promène sur les quais. On écoute des concerts, on boit un verre... J'ai fait une séance de Tai Chi Chuan. Ça enlève le stress après le boulot. Une atmosphère de vacances en ville.
Jeune fille : Oui, oui, c'est sympa... Mais bon, n'exagérons rien ! Nous venons de voir la plage et nous sommes un peu déçues. Ce n'est pas parce qu'on installe des parasols qu'on est à la plage !
Femme : Oui ?
Homme : Eh bien, je ne suis pas d'accord. Je trouve ça formidable ! C'est vivant, c'est la fête. Les gens sont heureux, Allez, une critique ? Ça ne dure pas assez longtemps.

▸ Leçon 4

page 14, activité 2

Voix off : On trouve tout à la braderie de Lille ! Des visiteurs nous présentent leurs trouvailles.
Jeune fille : Je repars avec des vieux disques. Ils sont très rares.
Jeune homme 1 : Moi, j'ai une belle horloge rétro. C'est très tendance.
Jeune homme 2 : Nous, nous sommes en train d'emménager, alors on a besoin de beaucoup de choses : de la vaisselle, deux petites lampes et un grand tapis.
Homme : Je suis ravi de mon achat : des journaux très intéressants ! Il y a même celui du jour de ma naissance.

page 15, activité 3

Bercy en cet après-midi de septembre accueille la finale européenne de *League of Legends* : un jeu vidéo en réseau. Les adeptes de ce e-sport s'entraînent comme des athlètes – ils sont capables d'accomplir 300 actions par minute – et ils rassemblent autant de fans que Madonna !
Tous les ingrédients d'un grand match international sont réunis. D'abord l'ambiance. Une ambiance folle, vraiment folle : 12 000 spectateurs déchaînés, tous des inconditionnels du jeu vidéo *League of Legends*. Nous avons demandé à des spectateurs pourquoi ils sont là. « C'est le mieux à suivre... Et puis, on va voir nos idoles là. » « C'est comme quand tu fais du foot amateur, tu vas voir Zidane. »
Les joueurs arrivent comme des stars. Parmi eux, un Français, Hans Sama, 18 ans, le Kylian Mbappé du jeu vidéo. La partie commence : deux équipes de 5 joueurs s'affrontent. Les commentaires sont assurés en direct par deux journalistes spécialistes du e-sport.
Mais avouons : nous comprenons mal les règles. C'est un monde à part, tout un univers...
Vincent Perchet, à Paris, en direct de la finale européenne de League of Legends.

D'après www.tf1.fr, 03/09/2017.

▸ Phonétique

page 18, activité 1

Nous sommes en retard.
Tu es sérieux ?
Est-ce que tu es sérieux ?

page 18, activité 2

a. Merci.
b. On sort !
c. Qui es-tu ?
d. J'adore le sport !
e. C'est bien ?

page 18, activité 3

a. Il est sympa ton prof ?
b. Les maths, j'aime pas.
c. Il est comment ton lycée ?
d. Avec la prof de français, on étudie une pièce de Molière.
e. Vous mangez bien à la cantine ?

page 18, activité 4

a. Dans ma famille, on est très soudé.
b. Mes relations avec mes frères et sœurs ?
c. Ma mère me gronde souvent : je ne fais pas mes devoirs !
d. J'ai trois chats, une tortue et un cochon d'Inde.
e. Et tes parents, ils sont comment ?

page 18, activité 5

Le nouveau chic sur les réseaux sociaux ? Ouvrir un compte Instagram à son animal de compagnie. Les stars adorent et leurs animaux ont beaucoup de followers. Qui sont les animaux stars d'Instagram ? Dans le palmarès, on trouve Lady Gaga et son chien, Miley Cirus et son cochon, Taylor Swift et son chat, Cara Delevingne et son lapin.

Unité 2

page 22, vidéo 2

Une journée à Paris
Stefanos : J'ai passé une super journée ! Merci Olivia ! Nous avons vu beaucoup de choses. J'ai adoré !
Olivia : Je suis contente ! Alors qu'est ce que tu as préféré aujourd'hui ?
Stefanos : Tout ! J'ai tout aimé !
Mère d'Olivia : Qu'est-ce que vous avez fait ?
Stefanos : D'abord, nous nous sommes promenés sur les Champs-Élysées. Nous avons pris un café en terrasse. Ensuite nous

sommes allés jusqu'à la tour Eiffel. Et là, nous sommes montés au deuxième étage. J'ai vu Paris d'en haut, c'est impressionnant !
Mère d'Olivia : Vous êtes montés à pied ou en ascenseur ?
Stefanos : En ascenseur ! Et après on a pris un bateau-mouche jusqu'à Notre-Dame.
Olivia : Et on a pique-niqué au bord de la Seine !
Stefanos : J'ai mangé un délicieux sandwich jambon-beurre, un vrai sandwich parisien. Humm... Nous n'avons pas visité Notre-Dame. Nous sommes ensuite allés au Louvre. Regarde, c'est Olivia à côté de la Joconde. Tu as vu le monde !
Mère d'Olivia : Vous êtes allés à pied au Louvre ?
Stefanos : Nous ne sommes pas allés au Louvre à pied. Nous avons pris le métro. Et nous sommes rentrés en bus.
Olivia : Et qu'est-ce que tu n'as pas aimé ?
Stefanos : Rien, je t'assure ! Ou peut-être si, le métro. Je n'ai pas aimé le métro. Il y a trop de monde.
Mère d'Olivia : Qu'est-ce que vous avez prévu pour demain ?
Olivia : Demain matin, j'ai réservé avec Paris Passlib' une visite en bus panoramique. Le bus part de l'arrêt du Champ-de-Mars à 9 h 35. Il passe devant tous les monuments de Paris : l'Opéra Garnier, le Musée d'Orsay, la Pyramide du Louvre, le Grand Palais. La visite se termine au Trocadéro... La promenade dure environ 2 h 20.
Stefanos : C'est super !
Olivia : Pour l'après-midi, j'ai prévu une promenade à vélo le long du canal Saint-Martin. Et le soir, dîner à Montmartre. Depuis le Sacré-Cœur, le coucher de soleil sur Paris est magnifique !
Mère d'Olivia : Un beau programme ! Mais vous n'avez pas prévu de promenade dans le quartier latin et dans le Marais ?
Olivia : Le programme est déjà assez chargé, tu ne trouves pas. Le quartier latin et le Marais, c'est pour après-demain ! Et en fin, de journée, visite de la fondation Louis Vuitton à Boulogne. L'architecture est hyper moderne. J'adore ! Bon maintenant on se prépare pour le concert. On va à la Philarmonie. C'est dans le nord de Paris. C'est magnifique !
Mère d'Olivia : Hum ! Je vous souhaite une belle soirée. Tu devrais mettre ta jolie robe ce soir, ce serait sympa ?

▸ Leçon 2

 **page 24, vidéo 3**

Vacances francophones
Le français est la deuxième langue apprise dans le monde après l'anglais. Dans de nombreux pays, une partie de la population est francophone. Découvrez 6 destinations francophones pour des vacances sans barrière de langue !
Haïti, « La Perle des Antilles » est le seul pays francophone indépendant des Caraïbes. Entre vieilles bâtisses coloniales, marchés colorés et plages de rêve, l'île a tout pour plaire.
Aujourd'hui, 53 % de la population des Seychelles parle toujours le français, héritage de 60 ans de colonisation. Cet archipel de l'océan Indien est constitué de 115 îles. C'est un petit paradis sur Terre pour les amateurs de plages et pour les randonneurs !
Les Comores sont encore préservés des touristes... Le pays est réputé pour ses champs de vanille, de girofle et d'ylang-ylang. Les roches volcaniques et les fonds marins font le bonheur des voyageurs.
Djibouti. Dans ce tout petit pays d'Afrique, on parle majoritairement français. Avec ses lacs d'eau salée et ses volcans, il a des airs d'Islande au bord de la Mer Rouge !
Au Luxembourg, le français et l'allemand sont les langues nationales et le luxembourgeois est la langue officielle. Le plus petit pays d'Europe est une destination agréable, facile d'accès.
Le français fait partie des 4 langues officielles de Suisse, pays de montagne situé à l'est de la France. La Suisse est un paradis pour les randonneurs en été et pour les skieurs en hiver. Les paysages sont magnifiques avec une faune et une flore très riches.
D'après www.momondo.fr, 26/06/2016.

 **page 25, activité 2**

Elena : Bonjour, je m'appelle Elena et j'habite à Fort-de-France. C'est en Martinique. Mais je suis née en Métropole, à Marseille. J'ai aussi habité au Liban, à Beyrouth, et aux États-Unis. Je déménage souvent à cause du travail de mon père. Maintenant, j'ai des amis partout dans le monde. J'ai des amis en France, au Liban, aux États-Unis mais aussi au Japon et en Grèce. Ici à Fort-de-France, ma meilleure amie s'appelle Carmen. Elle vient d'Espagne, de Séville !

▸ Leçon 3

 **page 26, activité 1**

Voix off : Romain, directeur d'une auberge de jeunesse à Paris.
Romain : L'auberge de jeunesse est une solution économique. Avec la formule du grand dortoir mixte, il est possible de payer seulement une vingtaine d'euros par nuit.
Dans les auberges de jeunesse, il y a souvent un coin cuisine. On peut se faire à manger pour pas cher. Le restaurant à tous les repas, ce n'est pas très économique ! En plus, à l'auberge de jeunesse on rencontre du monde et des activités sont organisées : visites, sport... L'ambiance est toujours joyeuse !
Oui bien sûr, il y a aussi des inconvénients ! Il n'y a pas beaucoup d'intimité. Il est parfois difficile de trouver une prise électrique pour son téléphone. Et on peut être réveillé en pleine nuit par de nouveaux arrivants... Mais c'est le jeu ! Et aussi on ne sait pas avec qui on va partager sa chambre...
Voix off : Thérèse, directrice d'un camping dans le sud de la France.
Thérèse : Passer ses vacances dans un camping, c'est le retour à la nature ! C'est bon marché. Sur la côte, le camping reste pas cher par rapport à l'hôtel. Et c'est convivial : pétanque, apéro, barbecue et rire ! En général, les campings proposent des animations : soirées à thème, après-midi sportives ou matinées culturelles...
Alors oui, le camping, c'est un peu bruyant, il n'y a pas de lave-vaisselle et les sanitaires sont communs, mais il y a une telle ambiance !

 **page 27, activité 3**

Père de Marco : Bon alors, qu'est-ce que vous avez choisi entre la péniche et la case ?
Marco : Le choix est difficile ! Tu nous proposes soit un séjour en bateau sur un canal dans le sud de la France, soit une semaine dans une case en bois à la Martinique...
Mère de Marco : Sur un bateau ? Mais j'ai le mal de mer...
Père de Marco : Ce n'est pas en mer, Claire ! C'est sur un canal, un cours d'eau tranquille : c'est une péniche, une maison flottante. Elle est équipée, spacieuse et agréable. Il y a huit couchages : quatre cabines, deux douches, des toilettes et un espace détente sur le pont. Pour 150 euros par jour !
Marco : Moi, ça me plaît !
Sœur de Marco : Et on fait quoi sur la péniche ?
Père de Marco : On navigue puis on s'arrête et on découvre la région à vélo. Tous les jours un nouveau lieu !
Sœur de Marco : Moi je préfère les plages de la Martinique !

Tu imagines la case en haut de la colline du Diamant avec la vue sur des plages de rêve, du sable blanc et une mer turquoise... Des promenades au milieu des bananiers !
Mère de Marco : Oui... Je suis d'accord avec toi, mais la location à la Martinique est chère. Et surtout le voyage coûte cher. Et la case est libre seulement à partir du 20 juillet.
Marco : Et puis, en Martinique, il fait très chaud. Il y a des lézards et des araignées dans les maisons.
Sœur de Marco : Quelle horreur !
Père de Marco : Bon, eh bien, on choisit la péniche !

page 27, activité 4

Pablo : Je fais un séjour linguistique en France. J'ai des cours de français avec d'autres jeunes de mon âge, de toutes les nationalités. Alors on est obligé de parler français ! Je suis hébergé dans une famille. Ma famille est très sympa. Je m'entends bien avec le fils, Victor. Il a 16 ans, comme moi. Ensemble, on fait plein d'activités et on sort avec ses copains et ses copines. C'est cool ! Les parents de Victor sont très sympas aussi. Ils travaillent beaucoup, mais le soir nous dînons tous ensemble, en famille. C'est bien comme ça je découvre le mode de vie des Français. Et je m'habitue au français. Au début, j'ai eu du mal. Les premiers jours, je n'ai rien compris et je n'ai pas osé parler. Mais très vite Victor, ses parents, et sa sœur Manon m'ont mis à l'aise. Et je me suis mis à parler. Je fais des fautes et ils rient ! Pour moi, c'est une deuxième famille. La mère de Victor dit à ses amis « Pablo, c'est mon deuxième fils ! » Je ne suis pas pressé de partir. Et l'année prochaine, j'ai déjà invité Victor à passer l'été chez moi !

▸ Leçon 4

page 28, activité 1

Pedro : Pardon madame, nous sommes espagnols et nous sommes perdus.
Femme : Vous voulez aller où ?
Pedro : Nous cherchons la place Bellecour. Le bus nous y attend à 16 heures.
Femme : Alors, ne traînez pas ! Mais vous avez des téléphones ? Vous pouvez utiliser le GPS !
Pedro : Nous n'avons pas de forfait pour la France. Nous avons juste un plan de Lyon.
Femme : Ce n'est pas grave, ce n'est pas compliqué. Voilà, vous êtes ici. Nous sommes rue Mourguet. Vous descendez la rue et vous prenez la première rue à gauche, l'avenue du Doyenné. Vous continuez tout droit et vous arrivez sur l'avenue Adolphe Max.
Pedro : Pardon ? Je n'ai pas bien compris le nom... Vous pouvez répéter ?
Femme : Avenue Adolphe Max... vous voyez ?
C'est là. Elle est très large. Vous ne pouvez pas vous tromper !
Jordi : Ah, oui ! Je vois.
Femme : Vous prenez l'avenue Adolphe Max et vous traversez la Saône. Après le pont, vous continuez encore tout droit et vous arrivez place Bellecour. C'est une très grande place.
Jordi : Et il faut combien de temps ?
Femme : 15 minutes environ.
Pedro : Aie, aie, j'ai peur d'être en retard.
Femme : Vous pouvez prendre le métro, station Vieux Lyon, ce n'est pas loin... C'est à 5 minutes à pied, au coin de l'avenue Adolphe Max. Ensuite vous avez seulement une station. Vous descendez à la station Bellecour.
Jordi : Non, on y va à pied. Nous n'avons pas de tickets. Merci madame. On court Pedro ?
Pedro : Oui, dépêchons-nous... Merci madame..., au revoir !

▸ Phonétique

page 32, activité 2

Ce dimanche ? J'ai téléphoné à un ami et nous sommes allés à la piscine. Nous sommes aussi allés au cinéma. On n'a pas aimé le film. Le soir, je me suis baladée avec Sophie. Puis, je suis retournée chez moi.

page 32, activité 4

a. J'y vais en métro.
b. Le soir, je prends le bus.
c. En été, je vais au camping.
d. Il s'est baigné dans la mer.
e. Je suis à la mer.
f. Il fait un séjour linguistique.

page 32, activité 5

a. À Madagascar, on parle malgache et français.
b. À Québec, on parle français.
c. On parle français à l'île Maurice.
d. La Martinique est située dans les Antilles françaises.
e. À Fort-de-France, les habitants s'appellent les Foyalais.

page 32, activité 6

a. Tu te couches.
b. Ils ont réservé.
c. Nous avons visité.
d. Je me promène.
e. Tu regardes.

page 32, activité 7

J'ai longtemps voyagé dans le monde et la nuit.
Je suis enfin arrivé sur mon île du levant.
Je marche le long d'une plage, je monte sur une montagne.
La lune se couche sur l'océan, le soleil commence à briller.
Les oiseaux vont chanter. Je te vois doucement arriver.

page 32, activité 8

a. **Fille :** Tu cherches un hébergement pour les vacances ?
Garçon : Non, je ne cherche plus, j'ai trouvé !
Fille : Oh, tu as trouvé vite.
Garçon : Oui !
b. **Garçon :** On visite le musée du Louvre, tu viens ?
Fille : Non, je monte à la tour Eiffel.
Garçon : Bon, alors on se retrouve pour dîner.

Transcriptions

Unité 3

▶ Leçon 1

 **page 36, vidéo 4**

Chef Gaspar, la bûche de Noël
Salut, c'est chef Gaspar... Et aujourd'hui je vais vous préparer une recette pour Noël. Je vais vous préparer la fameuse bûche, mais pas n'importe quelle bûche... Je vais préparer une bûche au chocolat au lait d'amande.
Pour cette recette, je vais donc utiliser :
– 5 œufs ;
– 125 g de farine ;
– 125 g de sucre ;
– 125 ml de lait d'amande ;
– 50 g d'amandes en poudre ;
– 170 g de chocolat au lait.
Je sépare les blancs des jaunes. D'un côté, je mélange le sucre, les jaunes d'œufs et la farine. Et de l'autre, je monte mes blancs en neige.
J'ajoute ensuite mon mélange à base de jaunes d'œufs à mes blancs et je mélange le tout.
Ensuite versez la pâte sur une plaque avec du papier sulfurisé... Voilà... Si vous avez besoin, étalez-la un petit peu.
Donc une fois la pâte bien étalée, je l'enfourne à 180 degrés pendant 10 minutes.
Ensuite pour la réalisation de la pâte à tartiner, je mets dans mon robot le chocolat, le lait d'amande et la poudre d'amande et donc je fais chauffer à 50 degrés tout en remuant légèrement.
Donc voici ma pâte à tartiner que je viens de finir. Je vais la mettre au frigo pour qu'elle durcisse. Et donc voici ma pâte que j'ai roulée dans un torchon pour qu'elle prenne forme avant de durcir.
Ensuite je prends ma pâte à tartiner que je verse sur ma bûche et que j'étale. Ensuite je roule délicatement ma bûche et je la dépose dans un plat... Voilà.
Pour que ma bûche soit plus propre, je coupe une petite part de chaque côté. Voilà, nous allons goûter la bûche... C'est vraiment délicieux !
Et donc je vous dis à bientôt pour d'autres recettes.
Pour un effet encore plus bûche de Noël, je vous conseille de décorer votre bûche avec le reste du chocolat. Vous pouvez également ajouter du sucre glace.

www.youtube.com, « Chef Gaspar ».

 **page 37, activité 4**

Journaliste : Bonjour chers auditeurs, bienvenue dans notre émission en compagnie de Laura.
Bonjour Laura, alors qu'est-ce que vous préparez aujourd'hui ?
Laura : Bonjour à tous, aujourd'hui, je vais préparer des allumettes au gruyère. C'est un amuse-gueule parfait pour une soirée de Nouvel An !
Journaliste : Très bien ! Il y a peu d'ingrédients sur la table : de la pâte feuilletée, du gruyère râpé et un œuf.
Laura : Oui, c'est un plat très simple et rapide à réaliser. Vos invités vont se régaler !
Journaliste : Alors qu'est-ce que vous êtes en train de faire ?
Laura : D'abord, j'étale la pâte sur la plaque de cuisson. Puis, avec un couteau, je coupe de fines lamelles de pâte. Pas trop grandes.
Journaliste : Et maintenant, vous ajoutez l'œuf ?
Laura : Non, vous voyez, je suis en train de séparer le blanc du jaune. J'ai seulement besoin du jaune. Voilà, ensuite je badigeonne les allumettes avec le jaune d'œuf.
Journaliste : Et le fromage râpé ?
Laura : Pour finir, je parsème les allumettes de fromage. Enfin, je mets ma plaque dans un four chaud pendant 11 minutes.
Journaliste : Vous avez bien tout noté ? Sinon retrouvez la recette sur notre site Internet. Ah ! Laura est en train de sortir les allumettes du four, ça sent très bon. Je goûte... C'est délicieux.

 **page 37, vidéo 5**

Chef Gaspar, le jus de fruits
Bonjour, c'est chef Gaspar et aujourd'hui je vais réaliser un jus multivitaminé pomme, carotte, gingembre à l'aide d'une centrifugeuse. L'avantage de la centrifugeuse c'est que je n'ai même pas besoin d'éplucher mes fruits ou mes légumes, j'ai juste à bien les laver et à les mettre dedans.
Je vais commencer par couper mes pommes en quatre afin qu'elles rentrent dans la centrifugeuse.
Une fois les pommes coupées en quatre, je les mets dans la centrifugeuse. Maintenant je vais ajouter mon morceau de gingembre et mes carottes entières.
Pour finir, je vais goûter ce jus... C'est vraiment délicieux ! Et donc je vous dis à bientôt pour d'autres recettes.

www.youtube.com, « Chef Gaspar ».

▶ Leçon 2

 **page 38, activité 2**

Voix off : Les Français jettent 20 kilos de nourriture par an et par personne. Mais quand on les interroge, tous ou presque, ont un comportement exemplaire. Écoutez notre micro-trottoir.
Femme 1 : Je suis anti-gâchis. Donc je ne perds absolument rien. Je pense que c'est un devoir.
Homme 1 : Je ne fais pas de stock. J'achète au fur et à mesure de mes besoins. Pour moi, c'est la meilleure solution.
Homme 2 : On fait avec les restes. On se débrouille quoi. Il n'y a pas de gaspillage. Mais ça c'est un peu une question d'éducation, à mon avis.
Homme 3 : Ben après, il y a toujours des choses qu'on jette. Des croûtons de pain, des choses comme ça. Quand c'est périmé, je ne vais pas le consommer non plus. Je considère que c'est normal.
Femme 1 : Moi, un bout de pain, je ne le jette pas.
Femme 2 : Je ne jette pas. Eh bien, je fais trop de pâtes ? Je fais un gratin. Je fais trop de viande ? Je fais un hachis Parmentier. Je recycle mes restes dans un autre menu.

▶ Leçon 3

 **page 40, activité 2**

Roxane : On participe au défi de la semaine, Jules ?
Jules : Oui, « défipasta » c'est cool comme thème. Tu as des idées ?
Roxane : Oui. Je propose un plat de pâtes à l'asiatique.
Jules : Mais Roxane, c'est pas un peu compliqué ?
Roxane : Au contraire, c'est très simple. Je t'explique. Tu prends des spaghettis ou des nouilles chinoises. Il faut aussi acheter des légumes, des tomates, des carottes, des courgettes. C'est un peu comme tu veux. Tu peux prendre un sac de petits légumes surgelés, c'est pratique. Et c'est bon. Et puis il faut aussi des blancs de poulet.
Jules : Attends, ça à l'air très bien ta recette. Recommence, je fais la liste des courses.

Roxane : Donc, je recommence. Sur le site, on va proposer la recette pour 4 personnes, d'accord.
Jules : D'accord, donc pour 4 personnes, il faut 400 grammes de pâtes. Moi, j'adore les macaronis !
Roxane : Non, on prend des spaghettis ou des nouilles chinoises.
Jules : On achète où les nouilles chinoises ?
Roxane : Dans tous les supermarchés et même les petites supérettes. Je continue. Il faut aussi 2 tomates, 1 carotte et 1 courgette.
Jules : Il ne faut pas de poivron ?
Roxane : Si tu veux. On peut ajouter un poivron. On peut aussi prendre un sac de légumes surgelés coupés en petits morceaux. C'est simple et rapide. On n'a pas besoin d'éplucher et de couper les légumes.
Jules : Alors c'est décidé, on prend les légumes surgelés.
Roxane : Bien, il faut aussi 2 blancs de poulet, de la sauce soja. Avec quelques feuilles de coriandre, c'est encore meilleur.
Jules : Il ne faut pas prendre de sauce tomate ?
Roxane : On ne fait pas des pâtes à l'italienne mais à l'asiatique, donc pas de sauce tomate.
Jules : Bien, j'ajoute juste un bouquet de coriandre sur la liste. J'ai tout noté, je crois. Ah, mais aujourd'hui beaucoup de gens ne mangent pas de viande. Qu'est-ce qu'on fait ?
Roxane : C'est vrai, tu as raison.... Tu as une idée ?
Jules : On peut remplacer le poulet par des crevettes.
Roxane : Bonne idée. Et pour les végétariens, on remplace le poulet par du tofu !
Jules : Excellent. Alors je mets sur ma liste 350 grammes de crevettes ou un bloc de tofu.
Roxane : Comme ça notre plat peut plaire à beaucoup de monde et il est équilibré. J'espère qu'on va gagner !

page 41, activité 3

Mehdi : Alors on fait une grande salade de riz et pour le dessert on achète une glace ?
Clara : Oui, tout le monde aime et ce n'est pas compliqué ! Alors pour la salade, les tomates.
Mehdi : Pas besoin d'en acheter, j'en ai 7 dans le réfrigérateur.
Clara : D'accord. Il y a du concombre. J'en prends un ou deux ?
Mehdi : Un, ça suffit. Voilà les salades, on en achète une.
Clara : Rayon suivant, une boîte de maïs.
Mehdi : Une ? Ce n'est pas assez ! Prends-en au moins deux.
Clara : Non, j'en prends une grande. Et voilà le riz, un paquet.
Mehdi : Des olives...
Clara : Ah non, beurk. Je n'aime pas les olives.
Mehdi : Bon ok, je les laisse. Pour la vinaigrette, on a tout à la maison, l'huile, le vinaigre...
Clara : Passons au rayon « surgelés » pour la glace. Ma préférée, c'est la glace au chocolat !
Mehdi : Moi je préfère la vanille et la fraise.
Clara : Ah non, vanille avec cookie au chocolat. Humm...
Mehdi : Pas mal !... Mais elle est très chère...
Clara : Oh non ! Bon, je sais. On prend une glace au chocolat et une glace à la vanille et on achète de la crème chantilly !
Mehdi : Génial ! On va à la caisse et on se dépêche. La glace ne doit pas fondre !

▸ Leçon 4

page 43, activité 3

Voix 1 : Découvrez l'origine des noms de quelques plats très connus.
Voix 2 : Selon la légende, la tarte Tatin est née en 1926 en France... d'une étourderie. Une des sœurs Tatin a mis les pommes à cuire mais elle a oublié la pâte en-dessous. Quand elle s'aperçoit de son erreur, elle recouvre les pommes de pâte. Elle laisse cuire le tout. Dès que la pâte est cuite, elle sert la tarte. Elle ne la laisse pas refroidir. La tarte fait l'unanimité et prend le nom de son inventrice.
Voix 3 : Éclair. Pourquoi ce nom pour ce gâteau à base de pâte fourrée de chocolat ou de café ? Parce qu'il se mange en un éclair, c'est-à-dire très rapidement, affirment certains. Pour d'autres, c'est parce que le succès de cette pâtisserie est très rapide. Au XIXe siècle, elle se répand à travers toute la France à la vitesse de l'éclair !
Voix 4 : La pizza Margherita est née en Italie, à Naples. Un chef napolitain invente cette pizza en 1889 parce qu'il veut rendre hommage à la reine Margherita alors en visite à travers tout le pays. Remarquez les couleurs de cette pizza – rouge, vert, blanc –, les couleurs du drapeau italien !

▸ Phonétique

page 46, activité 3

a. cinq
b. pain
c. oignon
d. poisson
e. raisin
f. orange
g. amande
h. jambon
i. citron
j. viande
k. concombre

page 46, activité 4

a. Les enfants ont mangé cinq pains au chocolat.
b. Ce restaurant sert du bon vin et des plats fins.
c. Le parfum du citron et de l'orange donne du goût au poisson.
d. Le saumon aux champignons sera prêt dans cinq secondes.

page 46, activité 5

a. cent grammes
b. J'en achète deux.
c. Il a vingt ans.
d. Il faut un plat à gratin.
e. Achetez de la viande hachée !
f. Un instant, s'il vous plaît.
g. C'est le printemps.
h. J'adore la tarte Tatin.

page 46, activité 6

a. J'aime le hachis Parmentier.
b. Tu veux de la tarte Tatin ou un éclair ?
c. Il faut manger sain et équilibré.
d. Il suit un régime alimentaire.
e. Pour le dîner, Paul a préparé un gratin.

page 46, activité 7

a. Tous les matins, je mange une orange. C'est bon pour la santé !
b. Un pain au chocolat, cinq croissants, vingt pains au raisin. On a faim !
c. Adrien est végétarien. Il mange du pain, du raisin, des citrons, des concombres, du gingembre. Il ne mange pas de viande.

Unité 4

▶ Leçon 1

 **page 50, activité 1**

Comment occuper les ados après les cours et le week-end ? Notre ville propose une offre variée !
Pour les amateurs de sensations fortes, le skate-park est ouvert tous les jours. Vous pouvez y pratiquer le skate, le roller et le BMX en toute tranquillité sur de nombreux modules. Amateurs de ballons, venez rejoindre nos équipes de foot, de basket ou de handball ! Et participez à des compétitions ! Vous préférez la petite balle jaune ? Le club sportif propose des cours de tennis toute l'année et des stages pendant les vacances.
L'école de musique installée dans le centre ville ouvre ses portes aux musiciens débutants et confirmés. Piano, guitare, batterie, violon, chant, musique classique ou jazz : il y en a pour tous les goûts.
La bibliothèque Jacques Prévert est ouverte tous les jours du lundi au samedi. Vous pouvez consulter des ouvrages et des revues sur place, ou les emprunter. Vous avez également accès à Internet. 15 ordinateurs connectés sont à la disposition du public.
Pour des soirées en famille ou entre amis, un bowling et un complexe cinématographique de 8 salles. Venez y découvrir toute l'actualité du cinéma et aussi des films anciens.
Alors amusez-vous !

 **page 51, activité 6**

Jeanne : Allô ?
Camille : Allô Jeanne, c'est Camille. Ça va ?
Jeanne : Salut Camille ! Ça va mais je suis débordée !
Camille : Avec la bande, on organise une sortie après-demain. Tu n'as pas répondu. Ça te dirait de venir ?
Jeanne : Ah, oui, j'ai oublié... Attends, samedi prochain.... Le rendez-vous est à quelle heure ?
Camille : Vers 14 h 30. On va voir le match de basket de Théo à 15 h. Fatiha arrivera un peu plus tard. Elle a des trucs à faire samedi en début d'après-midi. Alors c'est bon pour toi ?
Jeanne : Ça va être compliqué... Samedi midi, je déjeune avec ma grand-mère. Et après on fera du shopping.
Camille : Et le soir ? Tu pourrais venir.
Jeanne : Euh... Oui. Je serai libre à partir de 17 h 30, après mon cours de danse.
Camille : Super, tu nous rejoindras alors. On ira au ciné.
Jeanne : Parfait !
Camille : Ensuite, on ira au Mac Do. Les garçons veulent encore aller faire un laser game après. C'est beaucoup non ?
Jeanne : Ah oui ! Et je ne pense pas que mes parents seront d'accord pour le laser game.
Camille : On garde le laser game pour le week-end suivant !
Jeanne : Oui. À samedi. Bises.

▶ Leçon 2

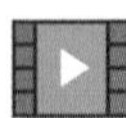 **page 52, vidéo 6**

Mon loisir, ma passion
Garçon : Chloé, coucou. Ça va ?
Chloé : Ah, salut.
Garçon : Je te présente Laure.
Laure : Enchantée.
Chloé : De même
Garçon : C'est super gentil d'avoir accepté de faire l'interview.
Chloé : Mais dis de rien, c'est normal.
Garçon : Ben, on commence ? T'es prête ?
Chloé : Ok. À tout de suite.
...
Laure : C'est bon.
Garçon : OK. Bonjour ! Alors nous sommes ici à une trentaine de kilomètres de Lyon dans la ferme équestre des Aubépines pour rencontrer Chloé qui va nous parler de sa passion, les chevaux. C'est bon. Tu filmes là ?
Laure : C'est bon.
Garçon : Bonjour Chloé, merci de nous recevoir. Et alors première question : à quel âge as-tu commencé à monter à cheval ?
Chloé : À 4 ans, mais je suis tombée amoureuse des chevaux quand j'en avais 2.
Garçon : Sinon est-ce que tu t'entraînes souvent ?
Chloé : J'essaye de m'entraîner deux fois par semaine, dès que j'ai le temps. Et parfois juste pour passer un moment avec eux, je passe.
Garçon : Et est-ce que tu participes à des compétitions, ce genre de choses ?
Chloé : Oui, bien sûr. Une fois par mois j'essaye de partir en sauts d'obstacles avec le manège quand ils organisent... Mais on va un peu dans toutes les parties de la France donc parfois j'ai pas le temps.
Garçon : Pour toi l'équitation c'est plutôt un loisir ou est-ce que tu voudrais que ce soit un métier ?
Chloé : Avant tout l'équitation c'est un loisir et une passion. Un métier, c'est secondaire. Mais oui, j'ai passé, j'ai passé mon brevet pour être professeur donc j'enseigne l'équitation. Mais je crois que si t'enseignes l'équitation c'est plus par passion et loisir que pour un vrai métier.
Garçon : Et donc voilà maintenant la question qui, à mon avis, va intéresser particulièrement les spectateurs, est-ce que tu as des conseils pour les gens qui débutent l'équitation ?
Chloé : Pour commencer l'équitation, il faut être passionné par ce qu'on fait. Faut pas vouloir en faire une profession, un métier, il faut que ce soit plus une passion et que ça vienne... Ça doit venir du cœur.
Garçon : Ben écoute, ben... merci beaucoup pour cette interview. Et franchement, je crois que je vais m'inscrire à ton club d'équitation parce que là, ça... ça m'a donné envie.
Chloé : Je te donnerai des cours.
Garçon : Et voilà ! Bon ben Laure merci, c'est dans la boîte hein je crois, non ?
Laure : C'est dans la boîte.
Garçon : Parfait.
Chloé : Allez, c'est parti. Ca vous dit qu'on aille voir les chevaux maintenant ?

 **page 52, activité 2**

Journaliste : Bonjour, Jonathan de NLG infos. Aujourd'hui nous sommes devant le lycée Évariste Galois. Nous allons interroger des lycéens sur leur temps libre.
Bonjour, que faites-vous pendant votre temps libre Gary ?
Gary : Heu, je consulte mon portable.
Lily : Je dessine beaucoup, je lis, et souvent je sors avec mes amies. Moi, c'est Lily.
Journaliste : Bonjour, que faites-vous pendant votre temps libre, Lina ?
Lina : Moi je fais... je fais du sport, de l'équitation. J'en fais deux fois par semaine.
Mathis : Bah, après les cours le plus souvent, je vais à la salle de musculation. Je peux y aller 6 fois par semaine et euh... le week-end

euh j'ai match de rugby donc euh je vais avec mon club. Sinon euh... le soir je sors avec les potes. Donc voilà. Je suis Mathis.
Journaliste : Que faites-vous pendant votre temps libre Elias.
Elias : Alors pendant mon temps libre je fais du basket, parfois je fais du dessin ou alors je vois mes potes.
Journaliste : Qu'est-ce que vous dessinez ?
Elias : Euh, des mangas.
Sacha : Moi, c'est Sacha. Pendant mon temps libre, je fais beaucoup de dessin, de graph, un peu de skateboard avec les deux mecs qui sont à côté de moi. Rarement du BMX sauf pendant les vacances. Sinon, pas mal de jeux vidéo aussi.
Journaliste : Bonjour que faites-vous pendant votre temps libre, Raph ?
Raph : Euh principalement je joue de la guitare ou je traîne sur Internet. C'est, c'est toujours ça... Oui voilà c'est surtout ça que je fais.
Journaliste : Et pourquoi vous faites ça ?
Raph : Parce que ça me plaît.

D'après www.youtube.com, « Temps libre des jeunes lycéens à Noisy-le-Grand ».

36 **page 53, activité 5**

Kenza : Bonjour et bienvenue sur la radio RCF Jura dans l'émission Oxy-jeunes. Je suis en compagnie de Valentin.
Valentin : Bonjour.
Kenza : Et de Louka.
Louka : Bonjour.
Kenza : Euh, aujourd'hui on se retrouve pour parler des différents styles de musique que les jeunes écoutent. Alors Valentin, quel style de musique tu écoutes ?
Valentin : Alors moi, j'écoute beaucoup de reggae. J'adore ça. Et beaucoup d'électronique aussi.
Kenza : Et toi Louka ?
Louka : Moi, j'écoute tout type de musique. J'écoute du rock, j'écoute de la variété française, du reggae. Tout style de musique sauf le rap ! C'est le seul style de musique que je ne peux pas écouter. Et puis toi Kenza, c'est quoi ton style de musique à toi, qu'est-ce que tu écoutes en général ?
Kenza : Bah moi, j'écoute euh... de tout. Bah, c'est vrai que mon style vraiment préféré c'est le metal parce que mon père écoute beaucoup, beaucoup de metal. Donc depuis toute petite j'écoute du métal. C'est mon style préféré. Après j'écoute vraiment de tout, du classique... enfin ça passe vraiment par tous les styles. Et Il n'y a aucune musique que je déteste.
Et qu'est-ce qui vous plaît dans ces musiques ? Louka ?
Louka : Les musiques électroniques comme le hardcore, le frenchcor ou autres donnent de l'entrain. C'est rythmé. Les basses me font vibrer. C'est un moyen de s'échapper la musique.
Kenza : Et toi Valentin ?
Valentin : Moi, pourquoi le reggae ? C'est calme, ça repose. Et l'électro bah c'est souvent en soirée. J'aime bien l'électro parce que c'est une musique qui tape.

D'après www.rcf.fr, « Les goûts musicaus des jeunes en 2016 », 24/11/2016.

▸ Leçon 3

37 **page 55, activité 4**

Journaliste : Bonjour et bienvenue sur notre radio. Aujourd'hui, nous vous présentons les résultats d'une étude sur les activités de loisirs pratiquées par les Français pendant leur temps libre. L'enquête porte sur tous les loisirs autres que la lecture et le sport. Les enquêteurs ont interrogé un peu plus de 1 000 personnes. C'est la musique qui arrive en tête. 87 % des sondés ont répondu qu'ils aiment écouter de la musique. La télévision arrive en bonne place, avec 84 %. Les Français aiment plus la télévision que le cinéma. En effet seulement 63 % des sondés vont au cinéma. Et les jeux vidéo ? Eh bien ils sont moins appréciés que les sorties avec des amis ! 82 % des Français aiment les sorties entre amis, mais ils sont seulement 27 % à jouer à des jeux vidéo. On pense pourtant souvent que les Français aiment plus les jeux vidéos que les autres activités. De même, les Français ne sont que 37 % à aller sur les réseaux sociaux. Mais 79 % disent qu'ils échangent à distance et 69 % surfent sur Internet. Les sorties culturelles et le shopping dépassent la barre des 50 % avec respectivement 58 % et 51 %. Dans l'ensemble, les résultats de cette enquête sont stables par rapport à 2015.

▸ Leçon 4

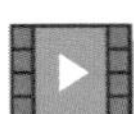
page 56, vidéo 6

Le manga café
Bienvenue dans l'univers des mangas ! Nous ne sommes pas à Tokyo mais au Manga Café, à Paris. Le Manga Café est à la fois une librairie (on peut acheter des mangas), une bibliothèque (on peut lire des mangas et jouer à des jeux vidéo), et un café (on peut se détendre avec une consommation). Au Japon, il existe plus de 30 000 cafés de ce genre.
Savez-vous ce que signifie « manga » ? C'est un mot japonais qui veut dire « bande dessinée ». Les mangas sont des bandes dessinées réalisées par des auteurs japonais pour des Japonais ! Mais depuis 15 ans, les mangas sont traduits dans de nombreuses langues et lus un peu partout à travers le monde. Les lecteurs francophones en particulier – les Belges et les Français – aiment beaucoup les mangas. Après les Japonais, ce sont les plus grands lecteurs de mangas au monde !
Les mangas ne ressemblent pas aux bandes dessinées françaises ou belges comme Tintin, Astérix, Titeuf... Il ne s'agit pas de grands albums, mais de livres de petits formats. Un manga a environ 200 pages alors que les bandes dessinées franco-belge ont en général une cinquantaine de pages. Les dessins sont en noir et blanc. Et les mangas se lisent à la japonaise, c'est-à-dire de droite à gauche. En Europe, ce sont surtout les adolescents qui lisent des mangas. Il existe différents genres. Chacun s'adresse à un groupe différent. Par exemple, les « shojo » mangas s'adressent à des adolescentes de 12 ans, les « young seinen » mangas sont pour les garçons de 16 ans. Dans ces séries, les héros ressemblent aux lecteurs. Ils ont le même âge, sont du même sexe. Ils se posent les questions que se posent tous les adolescents sur l'amitié, l'amour, la violence... Beaucoup de mangas pour adolescents montrent le quotidien des collégiens japonais. Certains mangas racontent les exploits sportifs — football, basketball ou tennis de table... — de jeunes ordinaires. Il existe aussi d'autres genres de mangas, par exemple des histoires de robots géants ou des histoires fantastiques. Il y a aussi des mangas pour adultes sur des thèmes variés. Tout le monde peut trouver un manga sur un sujet qui l'intéresse !
Les séries de manga se composent de plusieurs tomes. Les plus longues séries ont 150 tomes !
Venez découvrir les mangas au Manga café. Et pourquoi pas participer à une des soirées à thèmes qui y sont organisées ?

 **page 56, activité 4**

Voix off : Notre journaliste a tendu son micro aux jeunes d'Escalquens qui participent au projet d'embellissement, au graffeur Jae et aux habitants de la ville.
Damien : J'aime bien parce qu'on peut s'exprimer facilement sur le mur et puis euh... c'est plus facile que le pinceau. On peut avoir de meilleurs rendus
Michaël : Ça nous permet de nous exprimer différemment que sur une feuille de papier. C'est plus grand et c'est différent. Moi personnellement, je n'arrive pas très bien à dessiner sur une feuille de papier mais sur le mur j'arrive à faire quelque chose de pas mal.
Hugo : On arrive à dessiner super bien alors qu'on n'est pas super forts.
JAE : Ce qui est vraiment intéressant c'est de prendre des jeunes qui n'ont jamais fait de graffitis et petit à petit leur apprendre des techniques jusqu'à ce qu'ils arrivent à faire cela seul. Là, ils s'éclatent.
Riveraine : Ils m'ont expliqué ce qu'ils allaient faire parce que je suis sortie. Et vraiment, c'est franchement superbe, j'adore !

D'après le 19:20 de France 3 Toulouse.

▶ Phonétique

 **page 60, activité 1**

Je cherche un jeu intéressant à faire jeudi soir.

 **page 60, activité 2**

a. jour
b. genre
c. chemin
d. judo
e. échecs
f. joie

 **page 60, activité 3**

a. gens / chant
b. frange / franche
c. cache / cage
d. des chats / déjà

 **page 60, activité 4**

Je suis Jean-Charles et j'habite au Japon. Je cherche un jeu traditionnel pas trop cher et très original. Vous pouvez m'aider ?

 **page 60, activité 5**

a. il joue
b. un chou
c. des gens
d. des chants
e. âgé
f. haché

 **page 60, activité 6**

a. J'aimerais apprendre à chanter juste.
b. Ma sœur fait du cheval chaque jeudi soir.
c. Jacques et Charles jouent à chat perché.
d. Je joue aux échecs avec Jean et Charleine.

 **page 60, activité 7**

a. Nous cherchons ce jeu vidéo.
b. J'ai choisi la gymnastique parce que j'adore le sport.
c. Julia joue chaque jeudi au tennis avec Charlotte.
d. Jean chante chaque soir dans un groupe de jazz.

Unité 5

▶ Leçon 1

 **page 64, vidéo 8**

Bienvenue à bord
Le 17 novembre 2016 à 19 h 20, la fusée Soyouz a décollé de Baïkonour, au Kazakhstan. Son objectif : transporter une équipe de scientifiques vers la station spatiale internationale. À l'intérieur, trois scientifiques : une américaine, un russe et un jeune français, Thomas Pesquet. Ingénieur, pilote, et astronaute, il est le dixième scientifique français dans l'espace. Découvrons sa vie à des milliers de kilomètre de la Terre !
Thomas Pesquet passe la plupart de son temps à travailler. Il réalise des expériences scientifiques dans la station spatiale, notamment sur l'impact de l'apesanteur sur le corps humain. Il fait quelques sorties dans l'espace. Durant une mission de plus de 6 heures, il a effectué des travaux à l'extérieur de la station spatiale.
Les scientifiques ont aussi droit à des loisirs ! Thomas Pesquet a emporté son saxophone dans l'espace et tous les dimanches, il fait de la musique. Il fait aussi plus de deux heures de sport par jour pour rester en forme. Et avec ses collègues, ils regardent les matchs de foot ! Mais surtout, Thomas Pesquet ne se lasse pas de contempler la Terre vue de haut : le fleuve Colorado aux États-Unis, des champs en Angleterre, Paris la nuit... Il souhaite faire partager son émerveillement et poste ses photos sur Internet.
Dans l'espace, impossible de cuisiner ou de dormir dans un lit traditionnel. Les scientifiques doivent manger des produits en sachet ou en conserve. Ils dorment verticalement dans un sac de couchage attaché à un mur !
Six mois après son arrivée, le jeune astronaute français est revenu sur terre le mardi 6 juin 2017. Son voyage de retour a duré plus de trois heures. Fatigué mais très heureux de son expérience, il pense déjà à repartir très vite en mission.

 **page 65, activité 6**

Journaliste : Bonjour Fara, vous habitez sur l'île de Saint-Martin et vous avez 17 ans. Qu'est-ce que vous faisiez quand le cyclone est arrivé ?
Fara : Je finissais mes devoirs. Mes parents regardaient la télé et mon petit frère jouait dans le salon. Tout à coup, il n'y avait plus d'électricité. J'ai regardé par la fenêtre. C'était terrible.
Journaliste : Pourquoi ? Qu'est-ce que vous avez vu ?
Fara : Il pleuvait beaucoup. Je ne voyais plus le portail de notre maison. Le vent soufflait très fort. J'ai même vu un arbre tomber sur la voiture de notre voisin. J'ai eu très peur, je ne pouvais plus bouger. J'étais terrifiée. Notre maison est près de la mer. Je voyais d'énormes vagues qui mesuraient plusieurs mètres et je voyais l'eau qui commençait à inonder notre jardin.
Journaliste : Et aujourd'hui tout est terminé ? Vous avez repris une vie normale ?
Fara : Pas vraiment. Nous n'avons plus d'électricité et il y a beaucoup de maisons détruites. Et puis nous vivons dans l'angoisse que ça recommence. Nous sommes inquiets. Nous ne sommes pas prêts d'oublier Irma.

▶ Leçon 2

page 66, activité 2

Fabien : Je m'appelle Fabien, j'ai 18 ans, je suis en première ES au lycée de Sèvres.
Ambre : Je m'appelle Ambre, j'ai 14 ans et je suis en troisième.
Anouck : Je m'appelle Anouck, j'ai 19 ans et je suis en première année de licence de biologie.
Léo : Je m'appelle Léo, j'ai 17 ans et je suis en seconde.
Fabien : Combien de temps je m'informe par jour ? Bah, j'dirais entre une et deux heures.
Ambre : Bah on va dire, euh... si je regarde pas le journal télévisé le soir, j'passe 10 minutes/un quart d'heure à m'informer.
Léo : Alors c'est difficile de répondre à cette question. Avec le téléphone portable, disons que c'est de plus en plus fréquent parce que quand il y a une information intéressante on clique et on lit l'article mais je ne peux pas donner d'heures chiffrées.
Anouck : À peu près 30 minutes je dirais, ça dépend de l'actualité.
Léo : Comment je m'informe ? Avec la télé, sur des chaînes comme BFM ou I-télé mais aussi sur les réseaux sociaux, Facebook, etc.
Ambre : Depuis peu avec Twitter, je n'utilise pas du tout Snapchat. Je n'utilise pas trop Youtube non plus. De temps en temps sur Facebook. Je suis abonnée à pas mal de journaux dessus.
Fabien : Moi, je lis sur écran. Quand je suis sur Twitter je clique quand il y a un article qui m'intéresse, mais c'est plus sympa de lire sur papier.
Anouck : Je préfère les médias à la télévision. Je préfère quand il y a des images, j'arrive mieux à comprendre qu'à la radio. J'aime pas du tout la radio parce que j'me perds dans ce qu'ils disent.
Fabien : Les thèmes que je préfère, bah la politique, l'international mais aussi beaucoup le sport.
Anouck : J'aime bien le sport. Et après ça dépend, la politique c'est intéressant pour nous informer mais sinon les faits divers, c'est aussi intéressant parce qu'ils nous informent sur ce qu'il se passe dans la société.
Léo : Pour moi c'est très varié, des articles culturels, de politique, l'international. En ce moment, plutôt de l'actualité internationale.
Ambre : J'aime beaucoup les faits divers, tout ce qui est policier. Par contre je n'aime pas trop la politique.

D'après : www.youtube.com, « Génération Z, comment tu t'informes ? »

page 67, activité 6

Guillaume Benech : Alors je m'appelle Guillaume Benech, j'ai 16 ans. Je suis en seconde à Rouen et donc je dirige une maison d'édition qui a pour but de démocratiser la culture par des publications qui sont des romans et par un magazine culturel qui est totalement rédigé par des ados et qui est distribué gratuitement en Normandie.
Journaliste : Pourquoi tu t'es inscrit au digiSchool HYPE Awards ?
Guillaume Benech : Alors tout simplement parce qu'on m'a proposé et j'ai tout de suite accepté. Euh... tout simplement parce que j'adore en fait ce genre de concours et je me dis que ça peut être toujours une très très bonne expérience.
[...]
Journaliste : Et donc quels sont tes projets ?
Guillaume Benech : Alors, à l'avenir le magazine devrait, dans les prochaines années, essayer de cibler tout le territoire. C'est l'objectif. Et puis ensuite essayer de faire progresser la maison d'édition, essayer de toucher encore plus de gens, de lecteurs et trouver encore plus d'auteurs.
Journaliste : Ok. Merci.

Extrait de digiSchool HYPE Awards 2016 : Guillaume Benech présente L'Petit Mardi Magazine *; www.youtube.com*

▶ Leçon 3

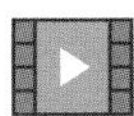

page 68, vidéo 9

Le concours Lépine
Journaliste : Les pompiers des Bouches-du-Rhône à l'honneur. Premier prix de ce concours Lépine 2017, ils ont eu une idée lumineuse, une balise flash et alarme connectée qui indique automatiquement le lieu du sinistre.
Alexandre Defromont : C'est une reconnaissance de 3 ans de travail sur cette balise. Le but c'est vraiment de gagner du temps pour leur intervention, pour que toutes ces minutes qui sont cruciales pour la vie et pour les paramètres pour sauver un AVC, un infarctus soient prises en compte tout simplement.
Journaliste : Le Lépine est aussi écologique. Cet éleveur vosgien a obtenu le deuxième prix grâce à un emballage pour le fourrage comestible pour les animaux, à base de calcium, il remplace le plastique.
Philippe Perrein : C'est totalement écologique et y a pas, il y a rien à recycler. C'est comestible par les animaux et comme c'est du calcium ça va dans le bon sens pour la rumination de la vache.
Journaliste : Pratique, cette valise couplée à une patinette électrique. Pour l'instant, c'est un prototype breveté avec une autonomie de 12 kilomètres, de quoi rattraper des retards.
Bruno Vincent-Genot : Je l'ai développé pour moi, seulement dans la rue on me demande très souvent où je l'ai achetée.
Journaliste : Pour décupler vos forces et transporter de lourdes charges, la Super Mule qui monte les escaliers grâce à des chenilles spéciales. Son inventeur est un homme heureux.
Joseph Collibault : Là c'est forcément, c'est une merveille ! Je suis étonné du succès qu'a l'appareil.
Journaliste : Impossible de se perdre grâce à ce système connecté, adaptable sur tous les vélos. Il suffit de programmer sa destination sur le Smartphone. Vous vous laissez guider en suivant les signaux lumineux. Mais il y a aussi d'autres fonctions.
Pierre Regnier : Vous avez une alarme en fait qui est située dans le guidon. C'est une alarme de 91 décibels, ça fait à peu près le bruit d'un marteau piqueur. Et vous avez aussi un système qui va tracer votre vélo pour le retrouver en cas de vol.
Journaliste : Autre invention ce vélo'van alimenté par un panneau solaire et tracté par une bicyclette électrique. Une mention spéciale pour les toits en tuile qui évitent l'utilisation de détergent. Sur toute la Foire de Paris, il y a d'autres innovations comme ce masque de sommeil qui vous maintient la tête et vous évite des torticolis en voiture ou en avion. De quoi faire de jolis rêves.

Soir/3, Concours Lépine, Les inventions de l'édition 2017.

page 68, activité 4

Quentin : Alors, Mehdi, tu as regardé pour le concours Science Factor ? On peut participer ou pas ?
Mehdi : Oui, j'ai regardé en détail leur site. Tout est expliqué.
Fred : Et alors ?
Mehdi : Ils disent que les inscriptions sont ouvertes du 7 septembre au 31 décembre. Il y a un formulaire à télécharger.
Quentin : C'est tout ?
Mehdi : Non, bien sûr. Ils expliquent qu'il faut constituer une équipe de deux à quatre personnes, mixte ou non. Et surtout ils précisent que c'est une fille qui doit la diriger !
Quentin : C'est obligatoire ?
Mehdi : Oui, c'est obligatoire. À qui on peut demander ? Tu as une idée ?
Quentin : On peut demander à Anaïs si elle veut participer. Je lui ai

parlé du projet la semaine dernière. Elle pense que notre invention est vraiment géniale !
Mehdi : Cool !
Fred : Et sinon qu'est-ce qu'il faut faire ?
Mehdi : Eh ben, il faut remplir le formulaire et le renvoyer. Ah oui, ils disent qu'il faut envoyer une vidéo du projet.
Quentin : Eh bien, il faut se mettre au travail !
Mehdi : Oui, en plus le formulaire est long à remplir. Ils demandent beaucoup d'informations, des photos, des présentations…

page 69, activité 6

Je m'appelle Ada, j'ai 18 ans et je suis volontaire au service civique à la gendarmerie de Châteauroux. Je suis contente de partager mon expérience avec vous.
Je participe avec la gendarmerie aux campagnes de sécurité routière. Pendant la première campagne, j'étais stressée, j'avais le trac. J'avais peur de ne pas être capable de répondre aux questions. Mais maintenant, ça va beaucoup mieux ! J'ai confiance en moi et je sais que mes collègues sont là pour m'aider en cas de problème.
Alors ma mission. J'enseigne aux collégiens les règles de circulation à vélo en ville. Le but : éviter les accidents. On leur apprend aussi à conduire un scooter et à la fin de la journée, on leur donne un petit diplôme. En général, ils trouvent ça sympa ! Et ils sont contents.
J'ai choisi la gendarmerie pour faire mon service civique parce que j'aime aider les autres. Je suis fière de mon travail avec les jeunes. Plus tard, j'aimerais devenir gendarme. Si vous voulez faire un service civique, regardez sur Internet. Il y a plein d'offres. Il y en a forcément une qui vous conviendra !

▸ Leçon 4

page 71, activité 4

Voix off : Le flash info avec Séverine Guillet.
Journaliste : Ces derniers temps, le géant de l'ameublement suédois Ikea voit ses magasins chinois se remplir. Un afflux de clients ? Pas vraiment. Les Chinois ont en effet pris l'habitude de venir se reposer sur les lits et les canapés. Ils profitent de l'air climatisé en cette période de canicule.
Ils s'installent sur les sofas, font la sieste sur les matelas ou déjeunent autour d'une table. En Chine, le phénomène des clients squatteurs explose pendant l'été.
Dans la métropole de Shanghai, les 37 degrés à l'ombre et le taux d'humidité de ces derniers jours poussent les familles, les couples et les personnes âgées chez Ikea. Certains s'assoupissent paisiblement au milieu des autres clients.
La marque d'ameublement accepte en général de servir de salon climatisé. Elle n'oublie pas que ces visiteurs accablés par la chaleur sont aussi des clients potentiels.

D'après www.20minutes.fr, 06/07/2017.

▸ Phonétique

page 74, activité 1

Pendant les vacances je me levais à 10 h mais ce matin je me suis levée à 6 h.

page 74, activité 2

a. chez
b. avec
c. un rêve
d. il sait
e. un reporter
f. photographier

page 74, activité 3

a. boulanger
b. infirmière
c. couturier
d. cuisinière

page 74, activité 4

a. regardait
b. achètera
c. crèmerie
d. fenêtre
e. répétait

page 74, activité 5

a. Hier, je me suis levée à 8 h.
b. Pendant les vacances, je me levais à 10 h.
c. Je regardais les reportages à la télé.
d. J'ai regardé les reportages à la télé.
e. Je suis allée en Roumanie.
f. J'allais en Roumanie.

Unité 6

▸ Leçon 1

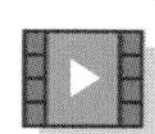

page 78, vidéo 10

Je filme le métier qui me plaît
Vous êtes chef d'établissement, enseignant, et vous souhaitez proposer à vos élèves un projet pédagogique attractif et dynamisant dans le cadre de la découverte des métiers et des entreprises : le Canal des Métiers point TV a un projet pour vous !
« Je filme le métier qui me plaît » est un concours pédagogique de clips vidéos diffusés sur Internet.
L'objectif : réaliser un film de moins de trois minutes sur un métier. C'est simple : vous composez une équipe avec un groupe d'élèves, vous téléchargez le kit pédagogique sur le site jefilmelemetierquimeplait.tv, vous choisissez un métier porteur d'avenir, un métier méconnu, un métier que vous croyez connaître… Votre équipe écrit un scénario, vous déposez votre candidature sur le site du concours, vous filmez, vous montez et vous envoyez.
On se retrouve en mai pour voir les meilleurs films à l'occasion de la cérémonie officielle de remise des prix. Ce sera pour vous l'occasion de rencontrer le prestigieux jury composé de personnalités des médias, du monde économique, des arts, et de l'éducation.

www.jefilmelemétierquimeplait.tv

57 **page 79, activité 5**

Certains préfèrent travailler avec leurs mains et veulent devenir fleuriste, boulanger ou coiffeur. D'autres veulent aider et devenir infirmier, médecin, avocat ou pompier. Ces jeunes ont tous choisi des métiers plutôt traditionnels. Nous les avons interrogés pour connaître leurs motivations.

Guillaume, 18 ans, travaille dans la petite équipe de fleuristes du *Plaza Athénée* depuis quelques mois. « Je ne savais pas quoi faire de ma vie, rien ne m'intéressait... Un jour je suis entré chez une fleuriste pour la fête des mères. Je suis resté en admiration devant cette femme qui préparait mon bouquet. Ca m'a tenté et je me suis dis pourquoi pas moi ? Et aujourd'hui je suis là. J'adore mon métier. »
Julien, 21 ans, boulanger dans la marine nationale, nous explique son parcours. « J'ai fait plusieurs stages pour découvrir des métiers mais rien ne me plaisait. Un jour, le boulanger de mon quartier m'a demandé si je voulais apprendre le métier. J'étais curieux de découvrir ce métier et je me suis dit pourquoi pas ? Aujourd'hui, je suis boulanger dans la marine nationale. Je confectionne des baguettes et des viennoiseries pour l'ensemble de l'équipage. J'en suis fier ! »
Béatrice, 19 ans, vient de rentrer à l'école d'infirmière. « Toute petite, j'avais peur du sang. Un été, on faisait du camping avec mon cousin et il s'est blessé au genou. C'est moi qui l'ai soigné... J'ai trouvé ça intéressant d'aider les autres et j'ai su tout de suite que c'était le métier que je voulais faire. Je suis très satisfaite de mon choix ! »
Quant à Yannick, il passe son bac cette année et souhaite faire du droit l'année prochaine. « Le métier d'avocat m'intéresse. En seconde, j'étais délégué de classe et tout le monde me disait que je défendais bien mes camarades. Alors, j'ai décidé d'en faire mon métier. »

D'après www.letudiant.fr, « métiers classiques, lieux typiques... »

▸ Leçon 2

page 80, activité 3

Vous voulez travailler dans un secteur qui recrute et qui a de l'avenir ? Vous savez vous adapter à toutes les situations et vous pouvez trouver rapidement des solutions ? Le secteur des technologies est fait pour vous ! Les sociétés de services domotiques, les start-up innovantes ou les grandes industries n'attendent plus que vous ! La cause ? La transformation digitale, le boom des objets connectés et la cyber-sécurité. Plusieurs profils sont recherchés : des techniciens, des ingénieurs ainsi que des électriciens et même des hackers ! Si vous désirez plus d'informations sur ces métiers et les offres d'emploi, vous devez nous envoyer un mail à technoavenir@info.com.

D'après www.pole-emploi.fr, « Quels sont les secteurs qui recrutent en 2017 ? ».

page 81, activité 5

L'environnement est un secteur d'avenir, peut-être le vôtre ?
Les métiers verts se développent en France et un peu partout dans le monde depuis quelques années. L'apparition de nouvelles lois liées à la protection de l'environnement, les préoccupations de la population permettent à ce secteur d'embaucher plus de professionnels chaque année. Les métiers verts sont nombreux, de l'ingénieur en énergie verte au technicien de maintenance. Métier vert ne veut pas dire métier du futur, ni métier de science-fiction. Les postes resteront assez traditionnels mais il faudra s'adapter. Par exemple, l'agriculteur devra cultiver des légumes bios et les architectes devront s'adapter aux nouvelles normes et construire des logements plus écologiques. Bien sûr de nouvelles professions se développeront comme les experts en pollution ou le juriste spécialisé en droit environnemental.
Aujourd'hui 75 000 personnes travaillent dans ce secteur mais d'ici a 2020 ce chiffre augmentera, on estime qu'il y aura 100 000 postes supplémentaires.

D'après www.letudiant.fr, « Métiers d'avenir : la vie en vert ».

▸ Leçon 3

page 82, activité 1

Je m'appelle Almond, j'ai 20 ans et je suis testeuse de jeux vidéo. J'ai découvert ce métier par hasard sur Internet. J'ai envoyé un CV et deux semaines plus tard, je commençais à travailler à Madrid. Les gens pensent qu'on travaille peu et qu'on s'amuse beaucoup devant notre écran. Mais c'est faux ! En fait, nous localisons les erreurs dans les dialogues et les problèmes techniques. Un bon testeur de jeux vidéo parle bien français et anglais, aime travailler en équipe et adore les jeux vidéo. En plus, il doit savoir travailler en autonomie. On est souvent seul face à son écran. Je pense que c'est la compétence professionnelle la plus importante dans notre profession. Un testeur de jeux vidéo doit être assez flexible, parce qu'il n'y pas d'horaire de travail, méticuleux et organisé. Souvent, il y a plusieurs jeux à tester en même temps. Petite précision, on teste tous les jeux vidéo, même les jeux que l'on n'aime pas ! Vous voyez, pas facile d'être testeur de jeux vidéo !

D'après www.madmoizelle.com, « j'ai testé pour vous... être testeur de jeux vidéo », 15/11/2016.

▸ Leçon 4

page 84, vidéo 11

La tenue vestimentaire
Demain, je commence un nouveau travail. Je m'habille comment ?
Essayage.
Voici Jules et Julia. Quelle tenue ont-ils choisi pour leur premier jour de travail ?
Julia tu en as fait un peu trop ! Garde cette robe pour le samedi soir. Elle est parfaite pour sortir. Porte moins de bijoux et des bijoux discrets. Et non, pas ce maquillage ! Il est vulgaire. Reste simple.
C'est mieux Julia ! Bravo ! Et une carte de visite. Bien joué !
Et maintenant, au tour de Jules.
Oh, oh ! Mais où as-tu trouvé ces vêtements ? Ils ne sont pas très modernes. Et tu ne sembles pas très à l'aise. Tu sais la cravate n'est pas obligatoire.
Choisissez des vêtements confortables. La cravate n'est pas obligatoire.
Ah, voilà, un beau jeune homme ! Magnifique ! Excellent !
Mais attention, pas trop de parfum. Juste une touche. Choisis un parfum léger.
Vous pouvez maintenant partir travailler ! Vous n'avez pensé aux chaussures ! C'est très important.
Farceurs !

D'après www.youtube.com, Le service de placement de l'université Laval.

▸ Phonétique

page 88, activité 1

Tous les fans sont allés à Vannes pour encourager ces sportifs et ces sportives qui participent à la compétition.

page 88, activité 2

a. vrai
b. fin
c. ville
d. verre
e. sportif
f. vache

page 88, activité 3

a. faire / verre
b. voir / foire
c. ville / fille
d. frais / vrai

page 88, activité 4

a. Les enfants vont souvent voir un film au cinéma.
b. Une fille française veut faire une interview dans votre école.
c. C'est une vraie affaire, foncez !
d. Franck et Valérie feront un voyage au Viêtnam pendant les vacances.

page 88, activité 5

a. Faites vos valises !
b. Vous voulez boire ?
c. J'ai vraiment faim.
d. Vincent a vu ce film trois fois.

page 88, activité 6

a. Fanny, ne fais pas trop la fête ce soir.
b. Vous pouvez vendre votre voiture.
c. Si vous allez aux Maldives, vous ferez vraiment de belles photos.
d. Victoria et Farid veulent venir en France pour la fête de la musique.

Entraînements au DELF A2

▸ Entraînement 1

page 92, activité 1

Bonjour, je m'appelle Gautier, j'ai 17 ans. Je suis né à Grasse, capitale du parfum. C'est dans le sud de la France, près de Nice. Et maintenant j'habite à Nice. Je suis le deuxième d'une famille de quatre enfants. J'ai une sœur et deux frères. Je suis en terminale scientifique, et ma matière préférée est la chimie. J'adore faire des expériences et j'ai 5 heures par semaine de physique-chimie. J'aime tous les types de musique : de la musique classique au reggae, mais aussi le rap et la variété française... Sinon, j'aime beaucoup nager, la mer et la plage. En été, je vais à la plage presque tous les jours après la classe. C'est cool d'habiter à Nice.

page 92, activité 2

a. J'ai adoré la Martinique ! J'ai beaucoup aimé le marché. Il y a de belles couleurs et plein de fruits. On est allé à la plage. On s'est beaucoup baigné. La mer est chaude. On a fait du ski nautique !
b. Pendant les vacances, avec mes parents, on va à la montagne. On fait du ski. J'adore ! Et je suis assez fort. Je vais plus vite que mon père !
c. Je me dépêche. Je suis en retard. Je vais au stade. L'entraînement de basket est dans 10 minutes. C'est important, on a un match samedi.
d. On se voit samedi alors avec Mathis, Lisa, Théo et Lucile. On se retrouve devant le cinéma samedi à 18 heures. Je préviens tout le monde.
e. Tous les jours, je fais une activité différente. Et le week-end, c'est musique. D'abord, j'ai cours de guitare. Ensuite, je joue avec l'orchestre. J'adore, c'est mon activité préférée.

▸ Entraînement 2

page 94, activité 1

Bonjour et bienvenue dans notre émission « cuisine facile ».
Aujourd'hui la recette de la pâte à crêpes.
D'abord, les ingrédients. Pour une quinzaine de crêpes, il faut :
· 300 g de farine
· 3 œufs
· 50 g de sucre
· 50 g de beurre
· 60 cl de lait
Cassez les œufs dans un saladier. Ce n'est pas la peine de séparer le blanc du jaune. Au fur et à mesure, ajoutez la farine et le lait. Mélangez bien. Pour finir, ajoutez le sucre et le beurre.
Faites chauffer une poêle avec un peu de beurre. Versez une louche de pâte dans la poêle. Étalez bien la pâte. Lorsque la crêpe est cuite d'un côté, retournez-la. Faites-la cuire de l'autre côté.
Servez et dégustez avec du sucre, de la confiture, du chocolat...

page 94, activité 2

Vous êtes bien sur le serveur vocal du théâtre de l'Archipel.
Vous souhaitez connaître notre programmation pour les deux prochains mois, tapez 1. Vous voulez faire une réservation, tapez 2. Vous voulez joindre l'accueil du théâtre, tapez 3. Vous voulez réécouter cet enregistrement, tapez 4. Vous vous voulez laisser un message, tapez 5.
Les Fourberies de Scapin se joue tous les soirs à 20 h, sauf le lundi. Séances supplémentaires le samedi et le dimanche à 14 h. Places à 20, 30 et 55 euros.

▸ Entraînement 3

page 96, activité 1

Vous venez de terminer le lycée et vous voulez pouvoir étudier et travailler en même temps ? Devenez assistant d'éducation. Chaque année plus de 180 nouveaux assistants sont recrutés dans les 1 000 établissements de la région Rhône-Alpes. Si vous êtes patient, que vous avez un bon sens de l'écoute et que vous aimez travailler en équipe, envoyez votre CV et votre lettre de motivation à ADE@education.com avant le 31 août.

page 96, activité 2

Cette année encore, le concours « Filme ton lycée » aura lieu en région parisienne du 10 au 20 mars 2018. Les élèves et leurs professeurs devront réaliser un petit reportage vidéo de 5 minutes maximum pour montrer la vie de leur établissement. Les vainqueurs du concours seront désignés par un jury national et remporteront un chèque de 150 €.

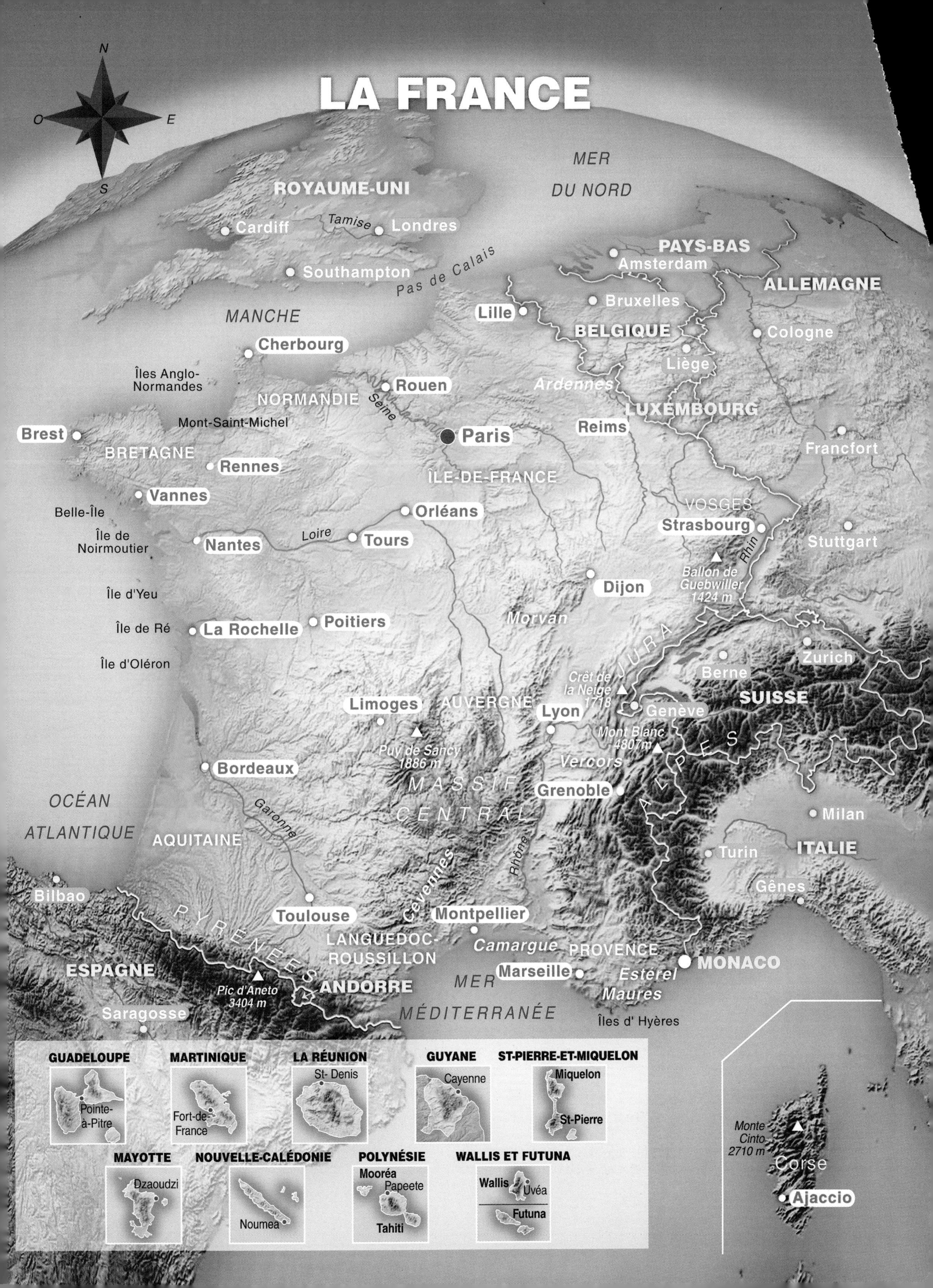
LA FRANCE
N
O
E
S
MER
DU NORD
ROYAUME-UNI
Cardiff
Tamise
Londres
Southampton
Pas de Calais
PAYS-BAS
Amsterdam
ALLEMAGNE
Bruxelles
Lille
MANCHE
BELGIQUE
Cologne
Cherbourg
Liège
Îles Anglo-Normandes
Rouen
Ardennes
NORMANDIE
Seine
LUXEMBOURG
Mont-Saint-Michel
Brest
Paris
Reims
Francfort
BRETAGNE
Rennes
ÎLE-DE-FRANCE
Vannes
VOSGES
Belle-Île
Orléans
Strasbourg
Île de Noirmoutier
Loire
Nantes
Tours
Stuttgart
Rhin
Dijon
Ballon de Guebwiller 1424 m
Île d'Yeu
Morvan
Île de Ré
La Rochelle
Poitiers
JURA
Zurich
Île d'Oléron
Berne
Crêt de la Neige 1718
SUISSE
Limoges
AUVERGNE
Lyon
Genève
Mont Blanc 4807m
Puy de Sancy 1886 m
Vercors
Bordeaux
MASSIF CENTRAL
Grenoble
ALPES
OCÉAN ATLANTIQUE
Garonne
Milan
AQUITAINE
Rhône
Turin
ITALIE
Cévennes
Gênes
Bilbao
Toulouse
Montpellier
PYRÉNÉES
LANGUEDOC-ROUSSILLON
Camargue
PROVENCE
MONACO
ESPAGNE
Marseille
Esterel
Pic d'Aneto 3404 m
ANDORRE
MER
Maures
Saragosse
MÉDITERRANÉE
Îles d' Hyères
GUADELOUPE
Pointe-à-Pitre
MARTINIQUE
Fort-de-France
LA RÉUNION
St- Denis
GUYANE
Cayenne
ST-PIERRE-ET-MIQUELON
Miquelon
St-Pierre
MAYOTTE
Dzaoudzi
NOUVELLE-CALÉDONIE
Noumea
POLYNÉSIE
Mooréa
Papeete
Tahiti
WALLIS ET FUTUNA
Wallis
Uvéa
Futuna
Monte Cinto 2710 m
Corse
Ajaccio

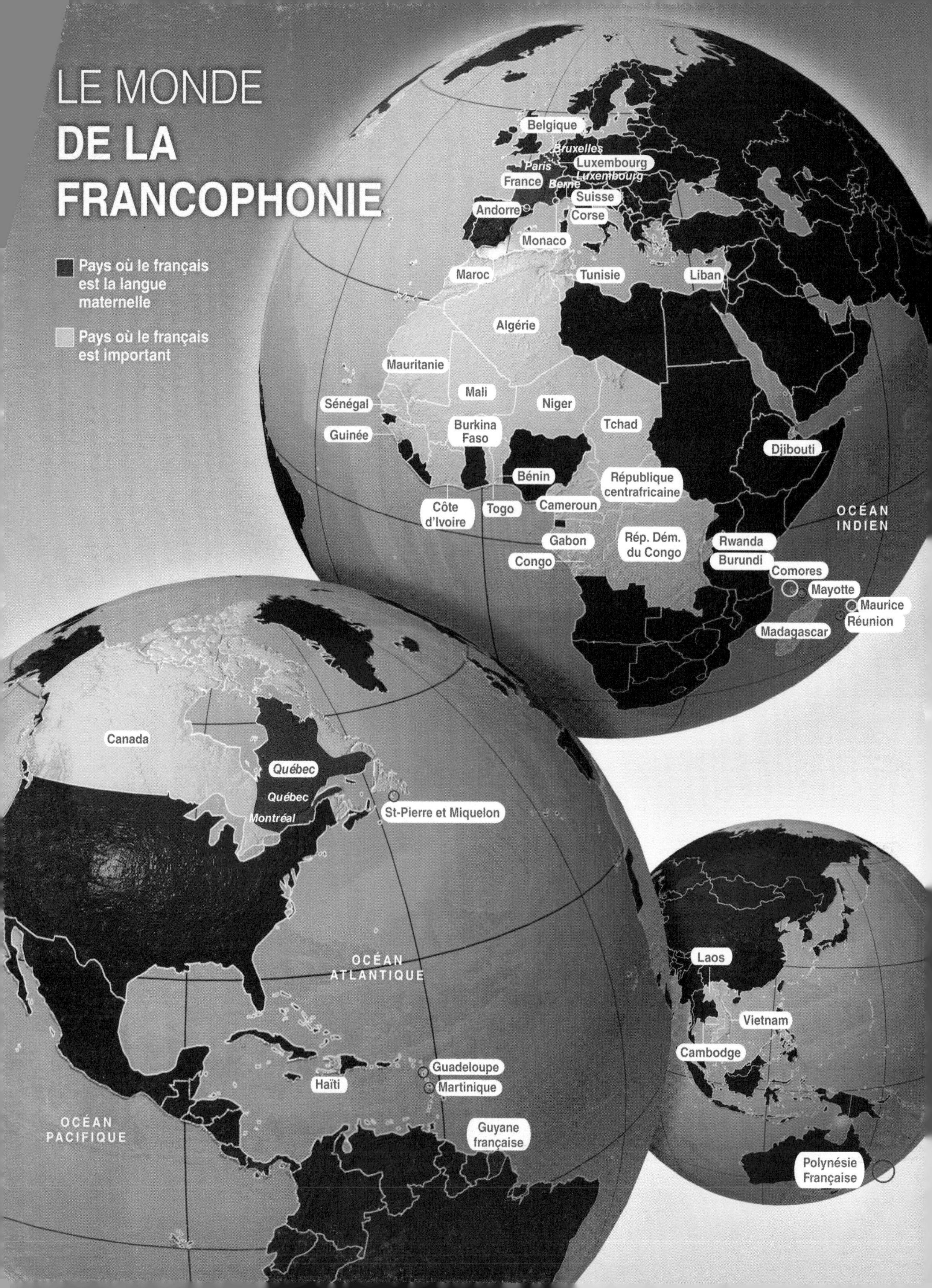
LE MONDE
DE LA
FRANCOPHONIE
Pays où le français est la langue maternelle
Pays où le français est important
Belgique
Bruxelles
Paris
Luxembourg
Luxembourg
France
Berne
Suisse
Andorre
Corse
Monaco
Maroc
Tunisie
Liban
Algérie
Mauritanie
Mali
Niger
Sénégal
Guinée
Burkina Faso
Tchad
Djibouti
Bénin
République centrafricaine
Côte d'Ivoire
Togo
Cameroun
OCÉAN INDIEN
Gabon
Rép. Dém. du Congo
Rwanda
Burundi
Congo
Comores
Mayotte
Maurice
Réunion
Madagascar
Canada
Québec
Québec
Montréal
St-Pierre et Miquelon
OCÉAN ATLANTIQUE
Laos
Vietnam
Cambodge
Guadeloupe
Haïti
Martinique
OCÉAN PACIFIQUE
Guyane française
Polynésie Française